Innere Seite, links.

Innere Seite, rechts.

Innere Hinterwand

Krippe.

Krippe.

Druck u. Verlag v. C. Burckardt's Nachf. Weissenburg (Elsass).

Die Abbildung auf dem Einband zeigt die »Anbetung der Hirten und des Volkes vor dem Golf von Neapel« (Nr. 106)

Auf dem Vorsatzpapier ist eine Ausschneidekrippe aus dem Verlag Burckardt's Nachfolger in Weissenburg im Elsaß aus dem späten 19. Jahrhundert abgebildet

Die Frontispiz-Abbildung zeigt die Hauskrippe mit Anbetung der Hirten (Nr. 117)

Krippen

im Bayerischen
Nationalmuseum

Nina Gockerell

Krippen
im Bayerischen
Nationalmuseum

München 1993

Einleitung
und
Hauptwerke

Zu den frühesten Darstellungen der Geburt Christi

Seit dem Ende des 3. Jahrhunderts feiern Christen die Erinnerung an die Geburt Jesu. Um das Jahr 354 verlegte Papst Liberius das Fest vom damals üblichen Termin, dem 6. Januar, auf den 25. Dezember, den Tag, an dem man im Römischen Reich den »sol invictus«, die unbesiegbare Sonne, gepriesen hatte. Nun trat das Gedenken an die Christgeburt an die Stelle des heidnischen Festes. Zwischen dem 4. und dem 7. Jahrhundert übernahmen auch die orthodoxen und die orientalischen Kirchen das Weihnachtsfest in ihren Jahreslauf, doch feiern sie es zum großen Teil bis heute an Epiphanie. In der westlichen Kirche wird bis in unsere Zeit am 24. Dezember der Vorabend der Geburt Jesu feierlich begangen, erst der 25. Dezember ist nach dem Kalender der eigentliche Weihnachtstag.

Die frühesten Zeugnisse für eine Verehrung der Geburtsstätte Christi in Bethlehem reichen ebenfalls in das 3. Jahrhundert zurück. Der Kirchenvater Origenes (um 185–254) berichtet bereits über Pilger, die auf ihrer frommen Reise den Schauplatz des heiligen Geschehens besuchten.

Seit dem 4. Jahrhundert wird die Geburt Christi bildlich dargestellt. Diese frühesten Bilder zeigen meist nur das auf seiner Lagerstatt liegende Jesuskind und die Mutter Maria; Joseph fehlt noch so gut wie immer. Manchmal kommt ein Hirte dazu, manchmal werden auch Ochs und Esel wiedergegeben, die beiden Tiere, die auf keinem Weihnachtsbild fehlen, die man aber in der Bibel vergeblich sucht. Sie entstammen frühchristlichen Propheteninterpretationen. Bereits Origenes hat Ochs und Esel in seiner 13. Homilie zum Lukasevangelium als Lehrbild eingeführt. Die Tiere verkörpern – so eine Deutung – die unvernünftige Kreatur, die trotz ihrer Unvernunft ihren Schöpfer in der Krippe erkennt, während die Menschen ihn verstoßen, oder – einer anderen Interpretation zufolge – die Heidenwelt und die Judenwelt, die gemeinsam an der Krippe des Erlösers stehen.

Ebenfalls bereits im 4. Jahrhundert wird die Anbetung der hl. Drei Könige als eigene Szene dargestellt. Solche Bilder finden sich als Reliefs an Steinsarkopha-gen, etwa in den Katakomben der hl. Priscilla in Rom, auf liturgischem Gerät oder als Wandfresken in Kirchen.

Im 7. Jahrhundert entstand in Rom der erste Nachbau der Geburtsgrotte im Abendland: Unter Papst Theodor I. (642–649) wurde in Santa Maria ad Praesepe, heute Santa Maria Maggiore genannt, ein Partikel aus dem Felsen der Geburtsgrotte in Bethlehem als Reliquie verehrt. Später stellte man dort den Holztrog auf, von dem möglicherweise jene seit dem Jahr 1170 nachweisbaren, in Silber und Kristall gefaßten Brettchen stammen, die bis zum heutigen Tage in dieser Kirche als Teile der Krippe des Christkindes verehrt werden. Der toskanische Bildhauer und Architekt Arnolfo di Cambio hat um 1289 diese hochverehrten Reliquien zum Mittelpunkt einer »sacra rappresentazione«, einer Darstellung der heiligen Nacht, gemacht. Wie seine Marmorstatuen ursprünglich einander zugeordnet waren, läßt sich heute nach oftmaligem Umstellen nicht mehr nachvollziehen. Bei den zahlreichen Veränderungen ging leider auch die wichtigste Figur des Ensembles, die Madonna mit dem Jesusknaben, verloren. Sie wurde im 16. Jahrhundert ersetzt. Noch heute findet man die verbliebenen Figuren in einer engen Seitenkapelle: die Propheten David und Jesaja, die Statuen der hl. Drei Könige und Josephs sowie die Köpfe von Ochs und Esel, die aus einer Nische hervorschauen. Diese kraftvoll-schönen Marmorskulpturen Arnolfos zeigen das Weihnachtsgeschehen zum ersten Mal mit vollplastischen Figuren in einer festen, vom Künstler selbst bestimmten Anordnung. Von einer Krippe kann hier zwar noch nicht gesprochen werden, wohl aber von einem ihrer bedeutendsten Vorläufer.

Die schon erwähnten frühen Darstellungen von Christi Geburt auf Sarkophagen hatten bereits kurze Zeit vor Arnolfo di Cambio den Bildhauer Nicola Pisano zu einer Darstellung dieser Thematik inspiriert: Der Reliefzyklus seiner um 1268 entstandenen Domkanzel in Siena zeigt die nach dem byzantinischen Typus gelagerte Muttergottes, darüber das Jesuskind in der Krippe mit Ochs und Esel, und zwei Hirten, die mit erstaunt erhobenen Köpfen der Botschaft der Engel lauschen. Links ist die Begegnung Mariens mit Elisabeth gezeigt, unterhalb Joseph und das erste Bad des Kindes, daneben eine Herde Schafe und Ziegen. Die

Anbetung der Hirten und der Weisen ist auf einem zweiten Bildfeld dargestellt. So sind bereits auf diesem Kanzelrelief des 13. Jahrhunderts alle Elemente der späteren, aus freibeweglichen Figuren bestehenden Krippen vorgegeben.

Nativitas-Darstellungen in eigenen Andachtsräumen

Der Wunsch, das heilige Geschehen und seinen Schauplatz szenisch nachzubilden, der das Streben nach Unmittelbarkeit in der Frömmigkeit des frühen Mittelalters kennzeichnet, hat an der Wende vom 13. zum 14. Jahrhundert zur Ausbildung spezifischer Andachtsräume mit Darstellungen des Weihnachtsgeschehens geführt. Solche unveränderbaren Rekonstruktionen der Ereignisse der Heiligen Nacht mit meist fast lebensgroßen Figuren in einer eigenen Kapelle wurden »nativitas« genannt. Sie sind vergleichbar mit den ebenfalls stationären Szenerien der Passionsgeschichte, den weiträumigen Anlagen der Kalvarienberge und Golgathahügel mit oft monumentalen Figurengruppen aus Stein oder Holz. Einen frühen Hinweis auf eine solche, möglicherweise schon fast krippenartig gestaltete Szene der Christgeburt enthält ein Vertrag zwischen Vanni Mainardi aus Monterubbiano und Frater Giovanni di Bartolomeo in Fabriano aus dem Jahr 1384, in welchem von hölzernen, farbig gefaßten Figuren einer liegenden Maria mit Kind, des Joseph, zweier Engel, eines Hirten mit Schaf und von Ochs und Esel in etwa halber Lebensgröße gesprochen wird. Diese Figuren sind nicht erhalten; es ist nicht einmal bekannt, für welche Kirche sie bestellt worden waren[1]. Ein knappes Jahrhundert später, 1478 datiert, ist ein ähnlicher Vertrag, und einige der darin aufgeführten Figuren sind noch in der Kirche San Giovanni a Carbonara in Neapel zu besichtigen. Ein Jaconello Pepe, Gewürzhändler des Herzogs von Kalabrien, bestellte bei den Künstlern Pietro und Giovanni Alamanno folgende Schnitzfiguren: eine gekrönte Madonna, das Jesuskind, Joseph, drei Hirten, elf Schafe und zwei Hunde, vier Bäume, elf Engel, Ochs, Esel und je zwei Propheten und Sibyllen. Der vereinbarte Preis betrug 12 Unzen Carlini-Silber. Erhalten haben sich aus dieser Anbetungsgruppe die Propheten und Sibyllen in gotischer Tracht sowie zwei Engel. Alle Figuren weisen stilistisch auf nordische Künstler hin, so daß der Name der beiden genannten Bildhauer wohl tatsächlich für deren deutsche Herkunft spricht. Im Dom zu Volterra hat Benozzo Gozzoli um die Mitte des 15. Jahrhunderts zwei Nischen mit Ochs und Esel und der Ankunft des Zuges der Könige ausgemalt als Hintergrund für vollplastische Terracottafiguren des heiligen Paares mit dem Jesusknaben.

Den Nativitas- oder Praesepe-Bildwerken liegt immer das gleiche Gestaltungsschema zugrunde: Über einem Altar erhebt sich eine steinerne Grotte, in der mit Figuren aus Stein, Holz oder Terracotta das Weihnachtsgeschehen dargestellt ist. Der darüber steil aufragende Berg bietet, perspektivisch verkleinert, Platz für die meist als Relief, zuweilen aber eben auch als Fresko gezeigte Verkündigung an die Hirten und den Zug der Könige. Nicht nur wegen der Einfügung von Gesteinspartikeln aus Bethlehem sind diese Grotten als Nachbildungen der Geburtsstätte zu verstehen.

Noch immer aber sind die Weihnachtsdarstellungen unveränderbare Ensembles, stationäre und ständige Bestandteile der Ausstattung des Kirchenraumes.

Die Weihnachtsvision der hl. Birgitta

Am Ende des 14. Jahrhunderts tritt eine Auffassung hinzu, die eine ehrfürchtige Versenkung in das Bild der Menschwerdung Christi erfordert. Die hl. Birgitta von Schweden hatte kurz vor ihrem Tode im Jahr 1372 eine Pilgerfahrt ins Heilige Land unternommen und dort an der Geburtsstätte in Bethlehem die Vision der heiligen Nacht erfahren. Schon lange vor der Herausgabe einer deutschen Übersetzung ihrer revelationes, ihrer Offenbarungen, fanden ihre Visionen Eingang in die Tafelmalerei. Im Jahr 1500 erschien dann im Auftrag Kaiser Maximilians bei Johann Koberger in Nürnberg eine prachtvolle Ausgabe in lateinischer, zwei Jahre später in deutscher Sprache. Birgitta berichtet: »Als ich war bei der Krippe des Herrn zu Bethlehem hab ich gesehen ein gar schöne schwangere Jungfrau angelegt mit einem weißen Mantel und subtilen Rock... bei der war ein aller ersamster alter Mann und sie beide hatten bei sich einen Ochsen und einen Esel. Als sie hineingegangen waren in die Höhle, hat der alt Mann angebunden den Ochsen und den Esel an die Krippe und ist hinausgegangen und hat gebracht zu der Jungfrauen eine angezündte Kerzen und die an die Mauer geheftet und ist hinausgegangen, daß er nit bei der Geburt persönlich wäre. Aber die Jungfrau hat alsdann abgezogen die Schuhe von ihren Füßen und zoch ab den weißen Mantel... bleibend allein in dem Rock, mit ihren allerschönsten Haarlocken wie von Gold über ihre Schultern ausgebreitet... und als sie so stund im Gebet, da hab ich gesehen bewegt werden das liegend Kindlein in ihrem Leib und schnell in einem Augenblick hat sie geboren ihren Sohn, von dem so ein groß unaussprechlich Licht und Schein ausging, daß dem die Sonne nit wär zu vergleichen noch die Kerze, die der alte Mann dahingesteckt hatte... Und alsdann weinet das Kind und strecket seine Glieder und erzitterte vor Kälte und der Härte des Estrichs, auf dem es lag... Alsdann ist sie aufgestanden mit dem Kind in ihren Armen und beide miteinander, das ist sie und Josef, haben ihn gelegt in die Krippe und mit gebogenen Knieen und unermeßlicher Freude und Fröhlichkeit beteten sie ihn an. Ich hab auch gesehen an der selben Statt als die Jungfrau Maria und Josef knieten und anbeteten das Kind in der Krippe, daß als dann die Hirten, die da hüteten ihr Vieh, gekommen sind zu sehen und anzubeten das Kindlein«[2].

Aus diesen Berichten hat sich das Bild geformt, das Maria mit langem, lockigen Goldhaar vor dem nackt am Boden liegenden, im Gnadenstrahl Gottes leuchtenden Kind kniend zeigt, während die Krippe leer ist.

Das Weihnachtsbild der Spätgotik

In der Spätgotik findet die Darstellung inniger Verbundenheit zwischen Mutter und Kind Eingang in die Weihnachtsbilder. Maria hält den Jesusknaben nun häufig in ihren Armen. Kleine, alltägliche Begebenheiten gewinnen vor allem bei den nördlich der Alpen entstandenen Bildwerken zunehmend an Bedeutung. Joseph wird mehr und mehr in das Geschehen mit einbezogen: Er hilft bei der Zubereitung eines Bades für das Kind, er beschirmt mit seiner Hand das einzige Licht im Stall, er kocht Brei und fertigt aus seinen eigenen Hosen Windeln für den Knaben an. Aus diesen Bildern spricht der Wunsch, die Weihnachtsgeschichte ins Menschliche zu übertragen und sie auf diese Weise verständlicher zu machen. Im 15. und 16. Jahrhundert ist eine erneute Konzentration auf wesentliche Bildelemente, vor allem auf die Anbetung der Hirten und der Könige, festzustellen. Das Weihnachtsthema wird nun zum Andachtsbild, zur Meditationshilfe für die Gläubigen.

Geistliches Spiel

Gleichzeitig ebneten verschiedene geistesgeschichtliche Entwicklungen und künstlerische Strömungen den Weg für das Entstehen der Krippe als einer eigenständigen Darstellungsform der Weihnachtsgeschichte.

Seit dem frühen Mittelalter kennen wir Zeugnisse für das weihnachtliche Klerikerspiel in den Kathedralen, den Wechselgesang der Klosternovizen und den gesungenen und getanzten Weihnachtsreigen des Volkes. Die Kirchenliturgien aus Frankreich und Italien, aus den österreichischen und den böhmischen Klöstern überliefern die zunächst lateinisch abgefaßten Spiele mit ihren ursprünglich sparsamen Bewegungen, die nach und nach in die jeweiligen Volkssprachen übersetzt wurden und in den überschwenglichen Jubel der Weihnachtsfreude mündeten.

Berichtet wird über diese Spiele in den Schriften von Kritikern, die darin schon allzu viel Menschliches sahen. So beklagt etwa im Jahr 1162 der gestrenge Probst Gerhoch im Kloster Reichersberg in seiner Schrift »De investigatione Antichristi«, daß man in den Kirchen »sinnbildlich die Kinderwiege des Erlösers, das Weinen des Kleinen, das mütterliche Gehaben der jungfräulichen Gottesgebärerin« und manches andere, darunter den Kindermord und die Klage der Rachel spiele[3].

Charakteristisch war bei diesen Weihnachtsspielen im Sakralraum das Aufeinanderfolgen verschiedener Szenen von der Verkündigung an die Hirten, ihres Zuges zum Stall und der Anbetung der drei Weisen, über den Kindermord, die Flucht und andere, Szenen also, denen wir später in den Krippen wiederbegegnen werden. Es ist denkbar, daß aus Anlaß dieser szenisch ausgestalteten Liturgie der Wunsch erwachte, eine Darstellung des Jesuskindes zur Ausschmückung und vor allem zur Verdeutlichung der gespielten Geschehnisse zu haben. Aus Italien sind tönerne, gewickelt dargestellte Jesuskinder erhalten geblieben, die diesem Zweck gedient haben können. Ebenfalls in Italien – im Wald von Greccio bei Rieti – feierte Franz von Assisi im Jahr 1223 die Weihnachtsliturgie nicht wie üblich im Sakralraum, sondern im Freien. Er baute zur Verdeutlichung der Situation in der Geburtsnacht einen hölzernen Futtertrog vor sich auf und stellte auch die mitgebrachten Tiere, Ochs und Esel, dazu. Er konnte auf diese Weise die Weihnachtsgeschichte so anschaulich machen, daß sein Mitbruder und späterer Biograph Bonaventura berichtet, Franziskus habe plötzlich das Jesuskind in den Armen gehalten. Zum »Erfinder der Weihnachtskrippe«, wie ihn die populäre Literatur gerne bezeichnet, wurde er dadurch allerdings nicht. Die wirkliche Weihnachtskrippe ist erst gut 300 Jahre später entstanden. Die Ereignisse von Greccio aber sind im dortigen Kloster von einem unbekannten Künstler vom Anfang des 15. Jahrhunderts liebevoll in ein Fresko umgesetzt worden.

Herausgelöst aus dem szenenreichen Weihnachtsspiel wurde das »Kindlwiegen« schon früh vor allem in Nonnenklöstern geübt: ein rituelles Wiegen einer Christkindfigur aus Holz, Wachs, Ton oder anderen Materialien in einer meist kunstvoll ausgestalteten Wiege zur Verinnerlichung der Gedanken an den kindlichen Welterlöser. Das älteste überlieferte deutschsprachige Weihnachtslied, das »Joseph, lieber neve min, hilf mir wiegen das kindelin« des dichtenden Mönches Hermann von Salzburg aus dem späten 14. Jahrhundert war einst Bestandteil eines solchen Kindlwiegens. Im Jahr 1344 schreibt die Dominikanerin Margaretha Ebner aus Maria Medingen in ihrem in deutscher Sprache geführten Briefwechsel mit Heinrich von Nördlingen: »An sant Stephans tag gab mir min herre ain minneklich gaube minen begirden, daz mir wart gesendet von Wiene ain minneklichez bilde, daz was ain Jhesus in ainer wiegen, und dem dienten vier guldin engel«[4]. Dieser Text, der im weiteren Verlauf in der Schilderung des spielerischen Umgangs mit dem Geschenk die religiös-mystische und zugleich mütterliche Jesuskind-Sehnsucht der Nonne widerspiegelt, gibt Aufschluß über das vermutliche Vorhandensein dreidimensionaler Wiegen mit herausnehmbaren Jesuskindern im 14. Jahrhundert. Gewiß kann der Ausdruck »bild« auch auf ein Gemälde hinweisen, doch legen die detaillierten Schilderungen der damit Beschenkten über den Umgang mit dem »liplich kint« doch den Schluß nahe, daß es sich um ein Figürchen gehandelt hat.

Sebastian Franck schreibt in seinem 1534 erschienenen »Weltbuch« über diesen Brauch, der zu seiner Zeit, aus den Frauenklöstern kommend, zum allgemeinen Kirchenbrauch geworden war: »Darnach kumpt das fest der geburt christi, da hat man an vil orten seltzam spil, wiegen eyn hültzin Kind oder götzlin in der Kirchen«[5]. Ein halbes Jahrhundert später findet sich ein Beleg über den Brauch des Kindlwiegens im häuslichen Bereich. Der Kölner Ratsherr Hermann von Weinsberg schreibt in seinem chronikartigen Tagebuch: »Anno 1581 den 25. Decembris uff den hilligen Christtach… hab ich Hermann myn broder und syn hausfraw und myn suster Sibilla und andere gesynde… den abends im hauß Weinsberg under unß daß kyndtgin gewieget, gesongen und mit Ihesulein frolich gewest«[6]. Die Geschwister haben das Weihnachtsfest mit dem rituellen Wiegen des Jesuskindes begangen.

Für das Jahr 1604 hat sich eine Rechnung aus der Peterskirche in München erhalten, die zum Jahresabschluß erwähnt: »Item kaufft 8 ruederpäm (Ruderbäume), welche man zu der Pyn (Bühne) zum kindlwiegen praucht hat«; zwei Tage zuvor war schon einmal die Rede von »predern herein zu fiern, so zu der bin zum kindlwiegen geheren« (Bretter zu liefern, die zur Bühne für das Kindlwiegen gehören)[7]. In den Nonnenklöstern im süddeutschen Raum entstand neben diesen konkreten Formen der Jesuskindverehrung der »geistliche« Krippenbau. Hinter den Übungen, die dazu dienten, die Krippe für das Jesuskind im Herzen zu bereiten, steht der Gedanke, daß die intensive gedankliche Vorbereitung auf das Weihnachtsereignis die gleiche Wirklichkeit annehmen kann wie der konkrete Krippenbau. Anleitungsbüchlein für diese Gebetsübungen mit Titeln wie »Kindbethschatz« oder »Geistlicher Krippenbau« gaben den Nonnen konkrete Anweisungen, wie sie in ihren Herzen »Stallhütten« und »Kripplein« bereiten sollten.

Die Verehrung des Jesuskindes führte aber auch zur Anfertigung zahlloser, meist kostbar gestalteter Figuren des Knaben, gewickelt, um ihn in eine Krippe zu legen, oder stehend, auch sitzend, in einem deutlich fortgeschritteneren Alter. Diesen thronenden Jesuskindern mit der erhobenen Segenshand wurden zwei ganz unterschiedliche Namen gegeben: Als »Trösterlein« sollten sie für die jungen Novizinnen den Abschied von Eltern und Geschwistern erleichtern und das Einleben im Kloster begleiten; als »Himmlischer Bräutigam« waren sie Symbol für die mystische Vermählung der jungen Nonne mit Christus am Tag ihres Eintritts in das Kloster. Solche Figuren wurden in den Tages- und Jahresablauf des Klosterlebens mit einbezogen, sie besaßen nicht nur vergoldete Stühlchen, sondern auch eine reichhaltige Garderobe in den liturgischen Farben und wurden nach den Vorschriften des Jahreslaufs umgekleidet. Nicht wenige Jesuskindfiguren wurden aufgrund wunderbarer Ereignisse zu Gnadenbildern und zogen Scharen von Wallfahrern an. So soll das heute im Bürgersaal in München zur Weihnachtszeit ausgestellte Augustinerkindl, ein barockes Wickelkind mit Wachskopf, im Jahr 1633 beim Wegräumen zerbrochen sein. Im Jahr darauf, als der zuständige Mönch es wieder hervorholen sollte, mußte er endlich sein Mißgeschick beichten; gemeinsam mit dem Abt öffnete er den Schrank, in dem er die Scherben verborgen hatte und

fand das Jesuskind in der gewohnten Pracht. Von da an wurde die Figur für viele Gläubige zum Wallfahrtsziel. Ähnliche Wundererzählungen ranken sich um viele andere Jesuskind-Gnadenbilder wie etwa in Rom, Prag, Salzburg, Altenhohenau, Reutberg oder in Christkindl bei Steyr. Sind diese Figuren auch meist erst im Barock entstanden, so reichen ihre geistigen Wurzeln – die Verehrung des Jesuskindes in liturgischem Spiel und häuslicher Andacht – ins ausgehende Mittelalter zurück.

Zur Geschichte der Krippe

Der stärker gewordene Wunsch nach einer anschaulichen Rekonstruktion des Weihnachtsgeschehens ebnete zunehmend den Weg für die Entstehung jener vielteiligen Darstellungen, die dem Betrachter die Identifizierung mit den historischen Personen ermöglichten und die wir heute »Krippe« nennen. Die Krippe gehört, so hat Rudolf Berliner sie beschrieben, zum »rekonstruierenden Zweig der religiösen Kunst«. Sie sollte »den Frommen helfen, das Gefühl zu haben, den Schauplatz der heiligen Geschichte zu betreten, um sie zu möglichst tiefer Meditation über den Heilsweg anzureizen«[8].

Der Begriff »Krippe«, ursprünglich das allgemeine Wort für ein einschließendes und schützendes Geflecht, auch einen Pferch oder eine Hürde, meinte zunächst lediglich den Futtertrog, die Futterkrippe, in der der Jesusknabe lag. Später ging die Bezeichnung auf den umgebenden Raum des wunderbaren Geschehens über, auf die Geburtsgrotte in Bethlehem. Erst seit dem frühen 17. Jahrhundert wird damit jenes vielfigurige Szenarium beschrieben, das die Weihnachtsgeschichte so anschaulich vergegenwärtigt. Die Frauenchiemseer Äbtissin Magdalena Haidenbucher berichtet im Jahr 1627 in ihrem Tagebuch noch recht umständlich von der Klosterkrippe, denn sie kennt noch keine treffende Bezeichnung. Sie beschreibt die Erstaufstellung so: »Dieß Jar haben mir durch Ratt vnd hilff vnssers Ernannten herrn

Beicht vatterß ... ein schöne weinacht hitten vnd Berg in der 12 potten Capeln auch die h: weinachtliche zeit aufrichten lassen ... Beü wölchem dz gemaine volkh däglich grosse andacht erzaigt...«[9].

In Innsbruck dagegen kannte man im Jahr 1626 bereits den Begriff »Krippe«, denn da heißt es in einem Rechnungseintrag der Franziskanerkirche über die Bezahlung eines Bildhauers »welicher zu dem weihnacht kripl unser liebe frau sambt dem Jesuskinde wie auch drey enngl vnnd tyreren vom wax gemacht«[10].

Eine Zwischenstufe auf dem Weg zur eigentlichen Krippe stellen die spätgotischen Krippenaltäre dar, die vor allem in den Alpenländern ihre reichste Ausprägung erfuhren. Im Mittelschrein ist meist die Anbetung der Könige vielfigurig und detailreich dargestellt, wobei Szenen wie die Verkündigung an die Hirten und deren Weg zur Krippe oft als nach hinten immer kleiner werdende Reliefszenen gestaltet sind. Auf den inneren wie auch auf den äußeren Flügelseiten werden fast immer Szenen aus dem Leben Mariens und des Jesusknaben gezeigt, meist als Gemälde, seltener als Reliefs. Diese Altäre sind unveränderbare Kompositionen, lediglich durch das Öffnen oder Schließen ihrer Flügel können sie das liturgische Geschehen widerspiegeln.

Im ausgehenden 15. Jahrhundert begannen die bis dahin fest mit der Rückwand eines Altares verbundenen Figuren sich allmählich herauszulösen. Es entstanden kleinformatige, selbständige Figurengruppen. Sie waren vollplastisch und man konnte sie von allen Seiten betrachten. Der nächste Schritt war vollzogen, als man technisch voneinander unabhängige, oft in sich bewegliche Einzelfiguren schuf und mit ihnen Themen aus der Weihnachtsgeschichte gestaltete. Der Krippenbauer arbeitet stets wie der Regisseur im Theater: Er kann die Figuren beliebig umstellen und die Szenen entsprechend den liturgisch oder brauchtümlich festgelegten Terminen verändern wie in den aufeinander folgenden Akten eines Schauspiels. Als »gefrorenes Theater« hat Rudolf Berliner die Krippe deshalb bezeichnet. Der festgelegte Termin, zu dem die einzelnen Szenen aufgestellt werden, ist dabei von entscheidender Bedeutung. Die Krippe wird zwar nur temporär gezeigt, doch kehrt sie regel-

mäßig wieder. Es gehört zu ihr eine illusionistische Landschaft, die in gemalten Kulissen ausläuft. Die Themen der Weihnachtskrippen beginnen mit der Verkündigung an Maria. Es folgt der Gang übers Gebirge mit dem Besuch bei der Base Elisabeth, die den Johannesknaben erwartet. Die Herbergssuche leitet den eigentlichen Weihnachtsfestkreis ein. Ihr folgen die Verkündigung an die Hirten und die Könige sowie Zug und Anbetung der beiden Gruppen zum Stall von Bethlehem. Der Bethlehemitische Kindermord und die Flucht nach Ägypten schließen den engeren Festkreis ab. Manche Krippen zeigen als letztes Bild des Weihnachtsfestkreises noch die Hochzeit zu Kanaa, das erste öffentliche Auftreten Jesu. Vor allem in Kirchen und Klöstern gab und gibt es aber auch Jahreskrippen, mit deren Figuren nacheinander alle Ereignisse des Kirchenjahres dargestellt werden können. Die sogenannten Fasten- oder Passionskrippen dagegen zeigen die Geschehnisse der Osterzeit mit – im Gegensatz zu den Kalvarienbergen – kleinformatigen Figuren. Sie können Teile einer Jahreskrippe sein, doch wurden sie auch unabhängig von diesem größeren Zusammenhang hergestellt und aufgebaut.

Ausgeformt wurde dieses so beschriebene Szenarium seit dem 16. Jahrhundert. Die erste Nachricht über eine private, häusliche Weihnachtskrippe findet sich in einem wahrscheinlich im Jahr 1567 erstellten Inventar der Piccolomini-Burg in Amalfi. Constanza Piccolomini di Aragona, Herzogin von Amalfi, besaß danach zwei Truhen mit 116 Krippenfiguren, mit denen sie die Geburt, die Anbetung der Könige und andere, nicht näher bezeichnete Szenen aufbauen konnte[11]. Bis ins späte 18. Jahrhundert waren es vor allem die fürstlichen Höfe, die sich dem Krippenbau widmeten, ihn förderten und sogar zu Spitzenleistungen veranlaßten, wie die Entwicklung in Neapel zeigen wird.

Um die Naturtreue der Figuren zu steigern, verfiel man bald auf die Idee, mechanische Krippen zu entwerfen. Im Gefolge der kostbaren Uhrwerke der Renaissance entstanden vielfigurige Gruppen mit teilweise sehr reichen Bewegungsabläufen. Francesco de Medici besaß bereits um 1560 eine solche mechanische Hauskrippe. Im Jahr 1588 konnte der Betreuer der Dresdner Kunstkammer unter der Bezeichnung »die geburt Christi« ein Werk des Augsburger Uhrmachers Hans Schlottheim in die Sammlung aufnehmen, das Kurfürstin Sophia ihrem Gemahl Christian I. »zum heyligen Christ«, also zu Weihnachten, geschenkt hatte. Der Krippenautomat zeigte auf einem mit weihnachtlichen Reliefdarstellungen verzierten Sockel die Anbetung der hl. Drei Könige im Stall von Bethlehem.

In Süddeutschland beginnt der Bau realistischer Krippen erst mit dem Ende des 16. Jahrhunderts. Die wohl anschaulichsten Schilderungen aus dieser frühen Zeit verdanken wir einer Wittelsbacherin, Erzherzogin Maria, einer Tochter Herzog Albrechts V. von Bayern, die 1571 nach Graz geheiratet hatte. In den Jahren 1577 bis 1584 führte sie mit ihrem Bruder Herzog Wilhelm V. einen lebhaften Briefwechsel, der sich immer wieder um die Anfertigung von Krippenfiguren drehte. Am 11. Oktober 1577 schickt sie ihm ein Holzstöckchen als Maß für die Größe der offenbar schon vorhandenen Schnitzfiguren der heiligen Familie, zu denen sie nun die beiden Tiere im passenden Format dazubestellen möchte: »an ein heltzl; bit dich, welst mir ein oxen und esl schnitzen lassen in der heche und darnach mallen lassen und mir zueschicken, das ichs gewies auf Weinächten hab«. Schon zuvor hatte sie acht Engel bestellt und sie schreibt am 22. Dezember wieder an ihren Bruder: »Ich hab dein schreiben sambt den 8 enngl und den oxen und esl wol empfangen und bin in herzen zornig auf dich, das du mir geschriben hast, die enngl sein nit schön; mich gedunckt, es were nit miglich, das si schenner sein kindten; ich schick dirs gewis nimer, si gefalen mir wol«. Schon am Vorabend zu Dreikönig schreibt sie wieder: »bit dich zum hegsten, wolst mir 4 hirdten lassen klaiden und die hl. drei kinig und einem jettlichen ein knecht und den Josep(?) und den alten Simian in der lenng, wie disser fadten ist«. Sie erzählt dann die vergnügliche Geschichte ihrer Tochter Anna, die bittere Tränen vergossen hatte, weil sie den Esel aus der Krippe nicht als Spielzeug bekam und bittet den gütigen Bruder, für das Kind diese Figur noch einmal anfertigen zu lassen; »so las in nur wol gros und stark machen, denn er muß vil ubersten« (überstehen). Am 1. April 1578

schließlich kommt sie in einem weiteren Schreiben auf ihre letzte Bestellung zurück, bittet den Bruder, die Figuren nur ja nicht schnitzen zu lassen »den sie mir gar nit gefallen und kosten grausam vil«; sie bevorzugt mit Textilien bekleidete Figuren und rät dem Bruder: »bit die frau muetter umb ettliche alte fleck darzue, das mich nit so vil kosten, den ich bin gar bluat arm«. Im Februar desselben Jahres bestellt sie dann die 12 Apostel, die sie zum Pfingstfest aufstellen möchte; die Erzherzogin wollte sich also nach und nach eine ganze Jahreskrippe zusammenstellen, die sie im häuslichen Bereich aufbauen und damit ihre 15 Kinder in der biblischen Geschichte unterweisen konnte[12].

Als sich in den Jahren 1593–1595 die drei jüngeren Söhne Herzog Wilhelms V. zu Studienzwecken an der Universität Ingolstadt aufhielten, schickte ihnen im Winter 1594 ihr ältester Bruder Maximilian »ein schons weinachtkripl alher«[13] und einen Schreiner dazu, der das Geschenk richtig aufstellen konnte.

In den folgenden Jahren mehren sich am Münchner Hof die Rechnungen von Handwerkern und Künstlern für Krippen und Weihnachtsbilder. Im Jahr 1616 beschäftigte Herzog Albrecht der Leuchtenberger, ein Bruder des regierenden Herzogs Maximilian I., einen Schreiner »fürs weihnachtskrippl«. Auch von einem Bildhauer ist in dieser Quelle die Rede, der »für arbeit hierzu« einen allerdings recht geringen Betrag bezahlt bekommt. 1641, als Kurprinz Ferdinand Maria fünf, sein Bruder Maximilian Philipp ganze drei Jahre alt war, erhielten »Johann Depey, Mahler, umb verrichte Mallerei zue dem Weihenecht-Crippl für die fftl. jungen Prinzen fl 15... Simon Schenckh Bildhauern umb gemachte Arbeit zum Weihenecht Kripl für die jungen Prinzen laut Zetl fl 22«[14].

Von Kurfürst Max Emanuel schließlich ist belegt, daß er sich zur Weihnachtszeit gerne die offenbar mechanische Krippe in Haching zeigen ließ, denn es sind Ausgaben verzeichnet »dem Zimmermaister alda, wellicher das Kripperl aufgericht, 2 fl 35 kr«[15].

Hatte hier in München – wie beispielsweise einige Zeit später auch in Neapel – der Hof den Krippenbau gefördert, ja teilweise erst initiiert, so waren es im kirchlichen und klösterlichen Bereich vor allem die

Jesuiten, die sich seit dem frühen 17. Jahrhundert dem Krippenbau widmeten. Gerade dieser Orden hatte die pädagogischen Möglichkeiten der Krippe ebenso erkannt wie diejenigen des religiösen Schauspiels und nutzte alle Wirkungen der realistischen, theatralischen und daher besonders einprägsamen Darstellung zur religiösen Unterweisung der Gläubigen. Im Jahr 1601 bauten sie ihre erste Klosterkrippe in Altötting auf; 1607 folgte München, Innsbruck im Jahr 1608 und schließlich Hall in Tirol 1609. Schon 1560 hatten sie in ihrem Kolleg in Coimbra und 1562 in Prag eine Krippe aufgestellt. Es war ein Angehöriger dieses Ordens, der als erster praktische Anleitungen zum Krippenbau, aufbauend auf theoretischen Erörterungen, gedruckt herausgab. Philipp de Berlaymont veröffentlichte 1619 ein Traktat, welches das Wesentliche der Weihnachtskrippe – die Absicht der Rekonstruktion – betont. Er beschreibt die von den Jesuiten aufgestellten Krippen so: »In einer Hausruine, an deren strohernem Dach ein in die Höhe ragender Stern befestigt ist, wird zwischen Maria und Joseph die Krippe mit dem Kinde aufgestellt. Hirten und Engel sind anwesend und das Ganze ist so geschickt arrangiert, daß das Frömmigkeitsgefühl der Beschauer aufs lebhafteste erregt wird. Sie glauben dem wunderbaren Ereignis selbst beizuwohnen, mit eigenen Ohren das Wimmern des Kindes und die himmlische Musik zu hören, mit eigenen Händen die Windeln zu betasten und ein heiliger Schauer erfaßt sie«[16].

Mehr als ein Jahrhundert lang beschränkte sich der Krippenbau im Alpenraum, wie in anderen Gegenden auch, hauptsächlich auf Kirchen, Klöster und Schlösser. Eigenständige, lokale Entwicklungen in den einzelnen europäischen Ländern sind erst nach etwa 1750 zu beobachten.

In Altbayern wie in Tirol wurden die Krippen im 18. Jahrhundert durch zusätzliche Genreszenen bereichert, um den knappen biblischen Bericht auszuschmücken. Damit wuchs auch ihre Volkstümlichkeit und allgemeine Beliebtheit. Die Figuren im Alpenraum und seinen nördlichen Ausläufern waren meistens aus Holz geschnitzt, in der Art beweglicher Puppen mit Kugelgelenken versehen und mit Textilien bekleidet. In Gesichtsausdruck und Kleidung

glichen sie den damaligen Menschen. Das gilt für alle Krippen des 18. Jahrhunderts, gleich aus welchem Land. Die Hirten, Musikanten und anderen Vertreter des einfachen Volkes trugen stets die allgemein übliche Kleidung und die Krippenlandschaft war der Umgebung ihres Entstehungsortes nachempfunden. Die Schnitzer dieser Figuren sind nur selten namentlich bekannt.

Im Zuge der Aufklärung richteten sich politische und religiöse Reformbestrebungen gegen alles fromme Brauchtum; sie führten schließlich zu zahlreichen Verboten, Krippen in Kirchen aufzustellen. In Bayern erfolgten solche Erlasse in den Jahren 1803 und 1804. Eine Episode aus der Münchner Frauenkirche kann den Hintergrund solcher Verbote verdeutlichen. Am 26. November 1803 erging von der kurfürstlichen Landesdirektion an den Pfarrer der Frauenkirche der Befehl: »Nachdem hierorts vorgekommen ist, daß die Aufstellung einer Krippe hinter dem Hochen Altar in der hiesigen Frauenpfarrkirche bisher noch immer üblich gewesen ist, als wird dem Pfarrer Darchinger hiemit bedeutet, künftig keine mehr dort aufstellen zu lassen«. Der Pfarrer erwidert am 6. Dezember 1803, »daß in dieser Kirche eine sogenannt eigentliche Krippe nie aufgerichtet worden sey, sondern daß die Geschichte der Geburt Jesu in einem kleinen vergitterten Kapellchen hinter dem Choraltar immer fort durch geschnitzte und vermutlich erst in neueren Zeiten gekleidete Figuren vorgestellt, sicher schon über 200 Jahre sich finde«. Unter dem 9. Dezember wird dem Pfarrer jedoch bedeutet, daß »die befragliche Krippe, sie möge eine eigentliche oder uneigentliche seyn, in Zeit von 3 Tagen nach Empfang dessen weggeräumt werden müsse«[17].
In den darauffolgenden Jahren wurden immer wieder Eingaben um Erlaubnis zur Wiederaufstellung von Krippen gemacht. Die Formulierungen eines solchen Antrags aus dem Landgericht Ebersberg vom 24. November 1812 zeigen, welchem Druck die Antragsteller ausgesetzt waren. Es heißt da: »Da nach Allerhöchsten Verordnungen die Aufstellung der Kirchenkrippen während der Weynachtszeit abgeschafft ist, jedoch wahrscheinlich nach dem Geiste dieser Verordnungen nur jene Mißbräuche ausgerottet werden sollen, welche dabey unterliefen, so glaubt sich unterthänigst unterfertigtes Landgericht anfragen zu

müssen, ob auch nicht die reine Darstellung biblischer Geschichten erlaubt werden dürfte... Denn a) nach den allgemeinsten pädagogischen Erfahrungen wird von den Kindern nichts so leicht aufgefaßt und im Gedächtnis behalten, als was sich durch Anschauung dem kindlichen Gemüthe einprägt... Gewiß ist es nicht zu verkennen, zu welchen herrlichen Lehren die Darstellung des Lebens Jesu veranlassen kann... b) Ebenso lehrreich ist auch für den Erwachsenen eine solche bildliche Darstellung, denn auch er wird dadurch stets in dem Andenken an den Stifter unserer Religion erhalten... Noch umfassender werden die Vorteile davon seyn, wenn aufgeklärte Prediger diese Darstellungen, die natürlich von allem Fremdartigen gereinigt seyn müßten, zu benützen suchen, um dem Landmann durch ihre Beredsamkeit die wichtigsten Religionslehren, die damit in Verbindung stehen, geläutert und lebendig vorzustellen. c) Nicht selten ist es zugleich der Fall, daß auch der ästhetische Sinn des Landmanns dadurch aufgeregt wird oder eine bessere Richtung empfängt, indem häufig die Figuren, die dazu benützt werden, mit vieler Kunst gearbeitet sind... Solche Ausstellungen dienen daher zugleich die Rohheit des Landvolkes einigermaßen durch schöne Formen zu mildern und die erste Grundlage zur Bildung zu geben. Weit entfernt, eine unbedingte Lobpreisung der Kirchenkrippen und jenes Wustes, der nicht selten damit verbunden war, zu schreiben, so glaubt man dennoch nicht, daß auch das Gute zugleich mit seinen Mißbräuchen vertilgt werden solle«. Unverzüglich, bereits am 1. Dezember 1812, wurde dieser Antrag abschlägig beschieden[18].

Die Gläubigen aber hatten schon lange einen Ausweg gefunden, denn sie wollten nicht auf die mittlerweile so vertrauten Darstellungen des Weihnachtsgeschehens verzichten: Mehr und mehr wurden Krippen jetzt von Privatleuten in Auftrag gegeben und in den Häusern, nicht mehr in den Kirchen aufgestellt. Das hatte einen erheblichen Aufschwung der Krippenkunst zur Folge: Die Zahl der Schnitzer und derjenigen, die die Zubehörteile anfertigten, stieg deutlich an. Die künstlerische Qualität verbesserte sich erheblich, wie sich beispielhaft an den hervorragenden Arbeiten Münchner Krippenschnitzer des frühen 19. Jahrhunderts zeigen läßt.

Ähnlich wie in Bayern verlief die Entwicklung auch im benachbarten Tirol. Von dort hat sich eine Schilderung des häuslichen Krippenbaus aus der Mitte des 19. Jahrhunderts erhalten, die besonders anschaulich ist und ebenso für Bayern gelten könnte. Der Text entstammt dem Buch »Das festliche Jahr« des Freiherrn von Reinsberg-Düringsfeld, das im Jahr 1863 erschienen ist.

»Der Gaisbube auf der Alm, wie der Bürger und Bauer benutzen an den Winterabenden ihre freie Zeit, um Figuren für die Krippe zu schnitzen, die man fast in jeder Hütte besitzt... Man geht in den Wald, um Moos zu sammeln und Tannzweige und Stechpalmen, in Südtirol, grossbeerige dunkle Epheuranken, zu holen, mit denen man die Krippe schmückt, welche am Christabend nach dem Abendessen aufgemacht wird. In dunkler Grotte ruht das Kind, die Gottesmutter kniet an seiner Seite, während Joseph am Eingang steht und Hirten, meist in Tiroler Tracht, knien vor der Höhle oder auf der Mooswiese, auf welcher Lämmchen grasen und Engel mit goldenen Flügeln mit Hirten sprechen. Ein Hirt ist gewöhnlich dargestellt, wie er sich den Schlaf aus den Augen reibt, und im Vordergrunde befindet sich ein Brunnen, aus welchem eine Kuh säuft. Auf den Bergen, die sich über der Höhle erheben, liegen Häuser und Burgen, weiden Heerden, von Hirten gehütet, und schweifen Jäger mit Stutzen, um Hasen und Gemsen zu schiessen. Karrenzieher fahren vom Berg herab, ein Fleischer führt ein Kalb daher, eine Bäuerin bringt Eier und Butter, während ein Förster mit einem Hasen niedersteigt, um ihn dem Kindlein zu bescheeren. Vor einem Bauernhause wird Holz gehackt, in der Nähe steht am Eingang einer Höhle eine Kapelle, vor der ein Waldbruder kniet, während ein anderer Eremit einen steilen Steig herabkommt; Knappen arbeiten und ziehen schwerbeladene Karren aus den Schachten, aus einer Höhle tritt ein Bär und ein zerlumpter Bettler hält dem Beschauer den leeren Hut hin. So bleibt die Krippe bis zum Sylvestertage, wo die Beschneidung aufgemacht wird, der am 5. Januar die heiligen drei Könige folgen. Diese füllen mit ihrem glänzenden Gefolge aus Edelknaben, Reitern und Dienern, mit Pferden, Kameelen und Elephanten den Platz vor der Krippe, und sind des Pompes wegen die Lieblingsvorstellung des Volkes.

Bei größeren Krippen kommt auch noch die Hochzeit von Kana dazu mit reich in Gold und Sammet gekleideten Figuren. Je kostbarer, größer und stattlicher eine Krippe ist, um so stolzer ist der Besitzer. Manche bestehen auch aus beweglichen Figuren und kosten oft mehrere Tausend Gulden«[19].

Das 19. Jahrhundert brachte neben den bislang geschilderten Ensembles schließlich einen neuen Typus hervor: die orientalische Krippe. Beeinflußt vom Bestreben der Nazarener, biblische Themen historisch »richtig«, also auch in der landschaftlichen Umgebung des Heiligen Landes darzustellen, zeigten auch Krippen nun immer häufiger Hirten mit orientalischen Physiognomien und Kleidern und Wüstenlandschaften mit hellen, kubischen Gebäuden. Joseph von Führich ist ein Wegbereiter dieses orientalischen Typus wie auch der Papierkrippe in Form von Ausschneidebögen. In seinen »Briefen aus Italien an seine Eltern« aus den Jahren 1827–1829 bedankt er sich am 28. Dezember 1827 für den elterlichen Weihnachtsbrief und fährt fort: »Ich dachte mich zu Hause in Eueren Kreis an's Krippel und erbaute mich im Geiste mit Euch. Nun muß ich Euch auch sagen, wie ich den heiligen Abend verlebte. Ich habe mir nämlich, und zwar des Abends, auch ein Krippel gemalt; es ist aber sehr einfach, weil ich gar nichts dazu hatte, mit Tuschfarben auf zwei zusammenstoßende Blätter Papier gemalt und an die Wand geheftet; in der Mitte die Geburt Christi, links kommen die heiligen drei Könige geritten, rechts erscheint der Engel den Hirten, den Schluß der beiden Seiten machen einige Cypressen- und Oelzweige«[20].

Die Papierkrippe hat eine eigene, bis ins 17. Jahrhundert zurückreichende Entwicklungsgeschichte. Zunächst waren zweidimensionale Figuren als Füllfiguren vor allem im Hintergrund von Kirchenkrippen verwendet worden. Im 18. Jahrhundert verloren sie ihren Ersatzcharakter. Sie wurden häufig von Freskanten im Winter hergestellt, wenn sie wegen der Kälte in den Kirchen und Schlössern nicht arbeiten konnten. So entstanden vielfach qualitätvolle und flott hingesetzte Darstellungen der heiligen Szenen. Ebenfalls bereits im 18. Jahrhundert begann, zunächst in Augsburg, die Produktion von Ausschnei-

debogen mit aufgedruckten Krippenfiguren. Ihre Blütezeit setzte nach der Erfindung der Lithographie ein, als solche Bogen zu Tausenden gedruckt und auf Märkten, in Läden, aber auch vom Hausierhandel vertrieben wurden. Joseph von Führich und nach ihm andere Künstler schufen künstlerisch hochwertige Vorlagen für solche Papierkrippen, die dann vor allem im späten 19. Jahrhundert, weil sie preiswert waren, Eingang in viele Familien fanden.

Die Entwicklung in den traditionellen europäischen Krippenlandschaften, dem Alpenraum und den romanischen Ländern, verlief seit dem 18. Jahrhundert jeweils eigenständig. Diese charakteristischen Erscheinungsformen werden auf Seite 20–55 anhand ausgewählter Beispiele aus den Sammlungen des Bayerischen Nationalmuseums ausführlich beschrieben. In diesen Sammlungen vertreten sind in erster Linie Krippen aus den Alpenländern Bayern und Tirol sowie aus Mähren, Neapel und Sizilien.
Daran schließt sich ein Katalog aller im Bayerischen Nationalmuseum ausgestellten Krippen an.

Max Schmederer, der Sammler und Stifter der Krippen im Bayerischen Nationalmuseum

Das Bayerische Nationalmuseum verdankt nahezu seine gesamte Krippensammlung einem einzigen Mann, dem Münchner Kommerzienrat Max Schmederer. Er wurde am 26. März 1854 in München als jüngstes von sechs Geschwistern geboren und einen Tag später auf die Namen Maximilian Andreas Ludwig getauft. Sein Vater Heinrich und sein Onkel Ludwig waren Erben der Paulanerbrauerei und des Gasthauses »Am Roseneck«, des späteren Spöckmeier. Max Schmederer selbst erwarb 1882 das Bank- und Speditionsgeschäft Seb. Pichler sel. Erben und das Anwesen Neuhauser Straße 7. Ein Jahr später kaufte er das Anwesen Dachauer Straße 28, auf dem eine »Bewilligung zur Ausübung einer Rosagliobrenner – Gerechtsame« lag, veräußerte es aber schon 1885 wieder. 1899 erwarb er schließlich das Haus Brienner Straße 54, in welchem er bis zu seinem Tode am 7. Dezember 1917 lebte. Die genannten Adressen haben für die Krippengeschichte in München große Bedeutung, denn Schmederer lud die Bevölkerung alljährlich ein zur Besichtigung seiner vielfigurigen Szenarien.

Seine Beschäftigung mit Krippen hatte begonnen, als er in seiner Jugend, oft kränkelnd und zu Atemnot neigend, ans Haus gebunden war. Als ihn im Winter 1880/81 erneut ein schwerer Asthmaanfall heimsuchte und er das Haus über Monate nicht verlassen konnte, faßte er den Entschluß, sich durch den Bau einer Krippenlandschaft aus natürlichen Materialien Ersatz für die lange entbehrte Natur zu schaffen. Eine italienische Hirtenanbetung stellte er in seinem Schlafzimmer so auf, daß er sie im Falle einer erneuten Erkrankung vom Bett aus betrachten und sogar von dort beleuchten konnte. »Die Freude an dieser meiner Krippe führte mich dazu, allmählich immer mehr Krippen zu erwerben. Bald legte ich auch Gewicht auf den künstlerischen Werth der Figuren. Ehe ich es selbst recht wusste, hatte ich auf diese Weise eine Sammlung gewonnen, die ich dann aus Freude und Interesse an der Sache im Laufe der Jahre vervollständigte und ausbaute« so beschreibt er selbst den Beginn seiner Sammelleidenschaft.[21] Die Zeit hierzu war günstig, denn am Ende des 19. Jahrhunderts hatte das Interesse für Krippen auffallend nachgelassen. Ohne zwingenden Grund verkauften Familien die ererbten Krippen; offenbar hatten sie keine Freude mehr daran, sie aufzustellen. Das sollte sich bald nach der ersten Präsentation der Schmederer'schen Krippen in seinem Privathaus ändern. Der leidenschaftliche Sammler schärfte den Blick seiner Besucher für die künstlerische Qualität der Münchner wie der italienischen Krippen.

Max Schmederer blieb ein Leben lang ein Eigenbrötler, gründete keine eigene Familie, wurde aber von den zahlreichen Neffen und Nichten der »gütige Onkel« genannt, der stets über Pralinés aus dem seiner Wohnung gegenüberliegenden Café Luitpold verfügte. Er war ausschließlich schwarz gekleidet und trug entweder Zylinder, Melone oder Strohhut. Sein großes Haus diente nur zum geringsten Teil als Wohnung, in den meisten der teils nach dem Zeitgeschmack orientalisch, teils mit Florentiner Renaissancemöbeln eingerichteten Räume standen hohe Vitrinen für seine umfangreichen Sammlungen, zu denen auch spanische Gemälde gehörten. Wegen seiner Krippenleidenschaft hieß er in der Familie allgemein der »Puppenspieler«. Eine ohne weitere Angaben »An den Krippelvater in München« gerichtete Postkarte erreichte ihn ohne Schwierigkeiten.

Seine Sammeltätigkeit erstreckte sich zunächst, ausgehend von München, auf Bayern und Tirol. Seit den späten 1880er Jahren zeigte Schmederer seine Krippen alljährlich im zweiten Stock seines Hauses in der Neuhauser Straße und zählte jeweils etwa sechs- bis achttausend Besucher. Er verschickte eigene Einladungskarten mit folgendem Text: »P. P. Mitfolgend beehre ich mich, Ihnen Eintrittskarte zum Besuch meiner Krippe zu übersenden, wobei ich bemerke, dass event. weitere Karten mit Vergnügen zu Ihrer Disposition stehen. Hochachtungsvoll!«

Bereits in den letzten Jahren des 19. Jahrhunderts dehnte Schmederer seine Reisen auf Italien aus, denn der Süden war ihm als besonders zuträglich für seine Gesundheit empfohlen worden. Sein bevorzugtes Ziel wurde nun Neapel.

Als sich sein Wunsch nach einem eigenen Krippenmuseum als nicht realisierbar erwies – der Münchner Magistrat hatte die Annahme der wertvollen Schenkung wegen »Platzmangel« ebenso abgelehnt wie Schmederers Angebot, auf eigene Kosten einen Pavillon für die Sammlung zu errichten – entschloß er sich 1892 zu einer ersten Schenkung an das Bayerische Nationalmuseum. Der Absichtserklärung vom 13. Mai folgte die Beurkundung am 30. Dezember 1892. In den folgenden Jahren konnte Schmederer zusammen mit dem Architekten des geplanten Museumsneubaus an der Prinzregentenstraße, Gabriel von Seidl, die Raumplanung vornehmen. Die Übergabe der ersten Krippen erfolgte am 14. September 1897, nachdem geklärt worden war, wieviele »Fuhren« dafür vonnöten sein würden. Die Transporte aller seiner Schenkungen bezahlte Schmederer, wie er auch die alljährlich fällige Prämie für die Feuerversicherung noch beglich, als die Krippen schon längst im Museum aufgestellt waren. 1898 erfolgte die Einrichtung der Krippensammlung im 2. Stock und die Eröffnung der dafür vorgesehenen 10 Kabinette. Am 29. September 1900 wurde das neue Nationalmuseum im Beisein des Prinzregenten Luitpold feierlich eröffnet. Schmederer hatte die Einrichtung zusammen mit dem Architekten Ruedorffer im Detail geplant und die Arbeiten mit sechs Bildhauern, zwei Schreinern und zwei Schneiderinnen, die er aus eigener Tasche bezahlte, ausgeführt; die wichtigsten Arbeiten verrichtete er jedoch stets selbst. Anhand seiner gekonnt und flott hingesetzten Zeichnungen, auf denen er Gebäude, Figurenstellungen, Grundrisse, ja sogar den spezifischen Lichteinfall exakt skizziert hatte, entstanden die illusionistischen Krippenlandschaften und -architekturen, die bis heute den besonderen Zauber der Schmederer-Sammlung ausmachen und die mittlerweile überall Nachahmer fanden, wo Krippen gebaut werden.

Der zweite Teil der Schenkung kam 1901 ins Museum. Er enthielt vor allem Figuren des 18. Jahrhunderts aus Neapel. In einem Brief an den damaligen Direktor Graf spricht Schmederer von einer »türkischen Musik« und der »Anbetung der hl. 3 Könige in ital. Ren. Palastarchitektur (wie Veronese etwa)« – es ist also die Rede von der heute als Palastkrippe bezeichneten großartigen Szenerie der Königsanbetung

(Nr. 108). Max Schmederers dritte Schenkung an das Museum erfolgte im Jahr 1904, eine letzte 1906. Als 1918, im Jahr nach seinem Tod, sein Nachlaß aufgelöst wurde, erhielt die Krippensammlung noch einmal Figuren, Zubehör und von ihm gefertigte Architekturen.

Max Schmederer war nicht allein Sammler, sondern auch einfallsreicher Gestalter von Krippenszenen. Er schuf einen eigenen Stil, der bis heute weltweit vorbildhaft ist. Die Kenntnis seines persönlichen Anteils an den im Bayerischen Nationalmuseum gezeigten eindrucksvollen Bilderfolgen ist heute vielfach nicht mehr präsent. Die Krippenszenen werden oft als jeweils zusammengehörige Einheit aus Figuren, Architektur und gemaltem Hintergrund erlebt und empfunden. Mit aller Deutlichkeit ist aber darauf hinzuweisen, daß das meist nicht der Fall ist, und das heißt zugleich, die in der Schöpfung eines neuen Ensembles liegende Leistung Max Schmederers hervorzuheben und zu würdigen.

Rudolf Berliner, der Erforscher der Krippengeschichte

Der Kunsthistoriker Dr. Rudolf Berliner (1886–1967) zählt zu den bedeutendsten Wissenschaftlern, die am Bayerischen Nationalmuseum tätig waren. Seit 1912 arbeitete er als »unbesoldeter wissenschaftlicher Hilfsarbeiter«, ab 1920 als Konservator. Im Jahr 1926 begann er, vom Bestand der Krippensammlung des Bayerischen Nationalmuseums ausgehend, sein großartiges Tafelwerk »Denkmäler der Krippenkunst« zu veröffentlichen. Es blieb unvollendet, weil nach 1933 die Gesetze des Dritten Reiches eine Fortführung verwehrten. 1936 wurde Berliner in den zwangsweisen Ruhestand versetzt; 1938 erhielt er vom Bayerischen Staatsministerium für Unterricht und Kultus die Genehmigung, »seinen Wohnsitz ins Ausland zu verlegen«. Auch in der Emigration setzte er die wissenschaftliche Arbeit an

den Krippen fort und konnte, als er lange nach dem Krieg aus New York nach Europa zurückgekehrt war, schließlich 1955 sein Buch »Die Weihnachtskrippe« herausbringen – bis heute das grundlegende Standardwerk. Die in den Jahren 1926–30 in kontinuierlichen Lieferungen erschienenen »Denkmäler der Krippenkunst« enthalten großformatige Abbildungen von Krippen aus ganz Europa, der umfangreiche Textband faßt Berliners Forschungsergebnisse zu Weihnachtsdarstellungen und speziell zur Entstehungs – und Entwicklungsgeschichte der Krippe zusammen. Aufbauend auf seinen fundierten Kenntnissen der christlichen Ikonographie, der mittelalterlichen Andachtsliteratur und der erhaltenen Krippen, vor allem in Italien, konnte er zum ersten Mal einen Überblick über die Vorläufer und Wurzeln der eigentlichen Krippen, über ihre allmähliche Entwicklung und ihre hohe Blüte im 18. Jahrhundert geben.

Wilhelm Döderlein, der Wiedererwecker der Krippenabteilung nach dem Krieg

Am 15. August 1945 wurde der Kunsthistoriker Dr. Wilhelm Döderlein (1903–1964) mit der Sichtung, Ordnung, Restaurierung und schließlich der Wiedereinrichtung der im Krieg teilweise zerstörten Krippensammlung von Max Schmederer beauftragt. Offiziell wurde er »für den Wiederaufbau der durch Feindeinwirkung beschädigten Krippensammlung als Aushilfsangestellter« beschäftigt. Angesichts des Ausmaßes der Schäden am ursprünglichen Standort im Obergeschoß verzichtete man auf eine Rekonstruktion in den alten Räumen und wählte die als »Weißes Gewölbe« und »Baumkeller« bezeichneten Räume im Souterrain des Museums als neuen Standort. Sie sind kleiner und vor allem wesentlich niedriger als die Räume im Dachgeschoß, was sich als problematisch für die Präsentation großformatiger Krippen erwies. In der Frage, ob der persönlich geprägte Krippenstil Schmederers bei der Neuaufstellung rekonstruiert oder ob einem damals als zeitgemäßer erachteten,

Wilhelm Döderlein beim Aufstellen der Anbetung der Hirten in einer Doppelgrotte (Nr. 119)

Foto: Eberhard Grastorf, München

neutraleren Stil der Vorzug gegeben werden sollte, entschied sich Döderlein ganz selbstverständlich für die Rekonstruktion. Für ihn, wie für Schmederer, gewann die Krippe ihren Sinn erst in der szenischen Gestaltung.

Im teilweise zerstörten Museum bereitete Döderlein schon 1945 eine erste Sonderausstellung vor, die am 22. Dezember im Beisein des Bayerischen Kultusministers eröffnet werden konnte. Angemeldet hatte der damalige Direktor diese Ausstellung bei den Besatzungsmächten als »Tierschau«, und er erhielt dafür auch tatsächlich eine Lizenz. Für eine »Krippenschau« wäre das vermutlich unmöglich gewesen. Gezeigt wurden damals: die Opferung der Hirten mit Münchner Figuren (heutige Nr. 84), die Flucht nach Ägypten mit sizilianischen Figuren in einer nach Schmederers zerstörter Landschaft rekonstruierten Felsformation (heutige Nr. 129), die Anbetung der Heiligen Drei Könige mit neapolitanischen Figuren, die in dieser Form nicht in die neue Daueraufstellung übernommen wurde, und schließlich die Verkündigung an die Hirten und ihre Anbetung mit Figuren aus der Innsbrucker Regelhauskrippe (heutige Nr. 61) in Verbindung mit einem im Depot aufgefundenen Stall. Dazu kamen einige Hauskrippen – diejenige, die Giuseppe Sammartino zugeschrieben wird (heutige Nr. 117), die Tonkrippe von Johann Georg Dorfmeister (Nr. 63) sowie einige kleinere Gruppen, die heute nicht mehr zu identifizieren sind.

Am 15. Dezember 1947 konnte der damalige Direktor Dr. Hans Buchheit im Kellergeschoß drei Räume der neuen Krippenabteilung eröffnen. Es war, wie damals im Bayerischen Krippenfreund geschrieben wurde, »nicht mehr die alte Schmederer-Sammlung, so wie wir Krippenfreunde sie kannten; die Verluste an Bauten und Architekturen, die Aufstellung in neuen Räumen, die Umstellung auf elektrische Beleuchtung zwangen dazu, sie in neuer Auffassung aufzustellen.« Die Neuaufstellung umfaßte zwölf Krippen: Raum I mit dem Hirtenfeld mit Münchner Figuren (Nr. 78), der Herbergssuche (Nr. 82) und der Engelskrippe (Nr. 79). Der zweite Saal enthielt eine Anbetung der Hirten mit Münchner Figuren (wohl später aufgelöst), eine Darstellung der Flucht nach Ägypten aus Sizilien (Nr. 129), eine Anbetung der Könige mit Münchner Figuren (eventuell Nr. 91) und die Regelhauskrippe der Servitinnen aus Innsbruck (Nr. 61). In mehreren Vitrinen wurden außerdem Papierkrippen und neapolitanische Einzelfiguren gezeigt. Als »Glanzstück« wurde damals die »neuartige Flucht« bezeichnet, »in einer Nillandschaft die Hl.Familie mit Esel und Fährmann beim Übersetzen« (Nr. 94). Schließlich wurde das Haus Nazareth erwähnt, das heute die Nummer 95 trägt. Raum III enthielt: »eine neuartige Darstellung mit neapolitanischen Figuren ›Maria geht übers Gebirge‹ (Nr. 99), ferner den Kindermord zu Bethlehem (wohl Nr. 130) und eine Anbetung der hl. Drei Könige, dazwischen eine Lavakrippe aus Sizilien (Nr. 117) und eine Anbetung der Hirten« (wohl Nr. 135). In den fünfziger Jahren waren Krippen aus dem Besitz des Bayerischen Nationalmuseums verschiedentlich auf Ausstellungen zu sehen: 1951/52 im Kunsthaus Zürich, 1952/53 in Den Haag und schließlich 1953/54 in Göteborgs Konstmuseum. An allen drei Orten hatte Wilhelm Döderlein die Präsentation der Szenarien übernommen.

Die folgenden Jahre waren dem vollständigen Wiederaufbau im Haus an der Prinzregentenstraße gewidmet. Am Vorabend des ersten Adventssonntages 1959, am 26. November, konnte die neue Krippenabteilung in einem feierlichen Akt endgültig wiedereröffnet werden.

In späteren Jahren wurden einige wenige neue Szenerien in die Krippenabteilung eingefügt – so etwa die mährische Papierkrippe von Wenzel Fieger (Nr. 62) und die vielfigurige Jahreskrippe der Familie Probst aus Südtirol (Nr. 70–73).

Der größte Teil der Sammlung überliefert bis heute den von Max Schmederer nach historischen Vorbildern mit eigenen Zutaten geschaffenen Krippenstil, der über Generationen Nachahmer in der ganzen Welt gefunden hat.

1 Wortlaut des latenisch abgefaßten Vertrages bei Rudolf Berliner, Die Weihnachtskrippe. München 1955, S. 44f. und Anm. 344
2 Josef Dünninger, Die Weihnachtsvision der Hl.Birgitta. In: Festschrift Altomünster 1973. Aichach 1973, S. 133 f. Dünninger zitiert den Text der heutigen Sprache angeglichen
3 Lateinischer Text in Anm.2 bei Leopold Kretzenbacher, Weihnachtskrippen in Steiermark. Wien 1953, S. 6
4 Philipp Strauch, Margarethe Ebner und Heinrich von Nördlingen. Freiburg, Tübingen 1882, S. 90
5 Sebastian Franck, Weltbuch: spiegel vnd bildtniß des gantzen erdbodens... Tübingen 1534, fol.130
6 Buch Weinsberg. (Publikation der Gesellschaft für rheinische Geschichtskunde XVI, Bd.II), Leipzig 1887, S. 112
7 Alois Mitterwieser, Frühere Weihnachtskrippen in Altbayern. München 1927, S. 11
8 Berliner, wie Anm.1, S. 14
9 Maria Magdalena Haidenbucher, Geschicht Buech de Anno 1609 biß 1650. Amsterdam 1988, S. 57
10 Berliner, wie Anm.1, S. 18
11 ebenda, S. 62
12 Mitterwieser, wie Anm.7, S. 3 ff.
13 ebenda, S. 5
14 ebenda, S. 6
15 ebenda, S. 7
16 Berliner, wie Anm.1, S. 30
17 Zitiert bei Georg Hager, Die Weihnachtskrippe. In: Volkskunst und Volkskunde, III. Jg. Nr. 1/1905, S. 7
18 ebenda, S. 8
19 O. Frhr. v. Reinsberg-Düringsfeld, Das festliche Jahr. O.O. 1863, S. 385 f.
20 Joseph von Führich's Briefe aus Italien an seine Eltern (1827–1829). Freiburg 1883, S. 58
21 Zitiert nach Georg Hager, wie Anm. 17, S. 40/41

Krippen aus dem Alpenraum

24 Silberkrippe

Abraham Lotter der Jüngere (1582–1626)
Augsburg, um 1620
Augsburger Beschau und Meistermarke AL
Silber, getrieben. Figuren gegossen, teilvergoldet
H: 19,3, B: 18,2 cm
Inv.-Nr. 30/270

Die vielteilige Weihnachtskrippe mit einzelnen, beweglichen Figuren ist über den Umweg des »Bethlehems« entstanden – eines mobilen, jedoch in sich geschlossenen Schaustückes, meist mit der Darstellung der Heiligen Familie und nur wenigen zusätzlichen Figuren. Der Weg führte von den großformatigen, stationären Darstellungen der Weihnachtsgeschichte in Stein, Ton oder Holz auf Altären in die »schier unerschöpflichen Gefilde der Kleinplastik auch in Wachs und in Edelmetall«[22]. Ein besonders eindrucksvolles Beispiel für ein solches Bethlehem aus kostbarem Material konnte 1930 für die Krippenabteilung des Museums erworben werden: eine Silberkrippe des Augsburger Meisters Abraham Lotter. Das Bildwerk weist viele erzählerische Details auf: Maria hält die Windel des Kindes, Joseph hat seine Kappe abgenommen, die Tür zum Stall steht offen, Ochs und Esel blasen dem nackten Kind Wärme zu. Die Struktur der geflochtenen Krippe ist ebenso sorgfältig ausgearbeitet wie jeder einzelne Halm des Strohdaches.

Eine weitgehend übereinstimmende Darstellung vom selben Künstler bildet das Mittelstück eines Hausaltärchens in der Schatzkammer der Kirche Maria Loreto in Prag, die von Gräfin Benigna Catharina von Lobkowitz 1626 gestiftet wurde.
Abraham Lotters Silberkrippe vermittelt wesentliche Einblicke in die Entwicklung der bayerischen Krippenkunst und der barocken Andachtskultur. Sie ist ein Zeugnis für eine wichtige Entwicklungsphase des religiösen Brauches und überzeugt darüber hinaus in ihrer handwerklichen wie ästhetischen Qualität. Innerhalb der Krippenabteilung des Bayerischen Nationalmuseums nahm dieses Bethlehem einen bedeutungsvollen Rang ein. Die Silberkrippe von Abraham Lotter wurde am 16. Oktober 1967 aus dem deutschen Pavillon der Weltausstellung in Montreal gestohlen, wo sie als Leihgabe des Bayerischen Nationalmuseums ausgestellt war.

22 Theodor Müller, Ein Augsburger Silberaltärchen in Prag. In: Opuscula in honorem C. Hernmarck 27.12.1966. Stockholm 1966, S. 159

**52/53 Engel und Hirten, die hl. Drei
Könige mit ihrem Gefolge
sowie Adam und Eva**

Aus Isareck-Volkmannsdorf bei Landshut
Von einem unbekannten Krippenschnitzer, um 1678
Holz, farbig gefaßt, textile Bekleidung
H der Figuren: ca. 30 cm
Elefant und Kamel aus einer anderen
oberbayerischen Krippe
Mitte 18. Jahrhundert

Diese Krippe soll von einem wandernden Krippenschnitzer angefertigt worden sein, der mit seiner
Familie von einem Pfarrhof zum anderen zog und an
Ort und Stelle die für die Kirchenkrippe benötigten
Figuren schnitzte und faßte. Die textile Bekleidung
besorgte seine Frau. Diese Angaben folgen der
mündlichen Überlieferung der Familie des Lehrers
Kurländer in Beiharting. Ein Bruder des Urgroßva-
ters seiner Frau war jener Geistliche, der die Krippe
in den 1670er Jahren anfertigen ließ. Später wurde
sie im Erbgang geteilt und diente fortan als Kinder-
spielzeug. Im Jahr 1879 erwarb Franz Sales Utz die
noch erhaltenen, teils stark beschädigten Figuren –
ursprünglich sollen allein sechs Kamele vorhanden
gewesen sein – und schenkte sie dem Bayerischen
Nationalmuseum.

Die Hirten trugen damals noch die Originalbekleidung: knielange Tuchjoppen und hohe Hüte die Männer, geschnürte Leibchen und lange Tuchröcke die Frauen. Beim Wiederaufbau nach dem Krieg erhielten sie neue Kleider, die im Schnitt sorgfältig nach den ursprünglichen Teilen gearbeitet wurden. Durch die Verwendung der Figuren als Spielzeug hatten besonders die Stoffe sehr gelitten. Aber gerade die Bekleidung hatte eine ziemlich genaue Datierung der Figuren ermöglicht. Franz Sales Utz berichtet: »Bei näherer Untersuchung der zerrissenen Kleider von einigen Figuren fand sowohl der Vorbesitzer, als ich, Papier-Einlagen als Futter benützt, welche sich als Ueberreste alter Zeitungen erwiesen. Die Titel lauten: Ordentliche Wochentliche Post=Zeitungen dieses 1678. Jahrs den 3. Sept. Auf dem Titelblatte befindet sich linksseitwärts ein reitender Kriegsmann, welcher in ein Horn bläst. Ein weiteres Blatt ist betitelt: Mercurii Relation. Oder wochentliche Reichs Ordinari Zeitungen, von unterschiedlichen Orten, Auff das 1678. Jahr[23].

Die Figuren von Adam und Eva wurden im traditionellen Krippenbau des 18. Jahrhunderts am 24. Dezember, ihrem Namenstag, in die »Paradies« genannte Krippenlandschaft gestellt. Erst am 25. Dezember, der als »Geburt Christi« im christlichen Kalender vermerkt ist, folgten mit Maria und dem Jesusknaben die »neue Eva« und der »neue Adam«. Der Kreis vom Sündenfall zur Erlösung war damit geschlossen.

23 Franz Sales Utz, Krippenerinnerungen eines alten Münchners. München 1900, S. 7/8

60 Zug der hl. Drei Könige

Drahtfiguren mit Wachsköpfen und textiler
Bekleidung
Aus einer Tölzer Krippe gegen 1800
H der Figuren: 20–25 cm

Die Figuren stammen aus einer Krippe im Besitz der
Tölzer Familie Sonderer. In ihrer Herstellungsart
weisen sie große Ähnlichkeiten mit denjenigen der
Regelhauskrippe aus Innsbruck (Nr. 61) auf. Die
Figürchen haben fein-bossierte Wachsköpfe, Hände
und Füße sind aus Holz geschnitzt und farbig gefaßt;
die ganze Figur wird durch ihren Drahtkörper beweglich. Hager berichtet 1902, daß die Figuren um

1800 von einem Anton Fröhlich angefertigt worden
seien und schreibt – für uns heute befremdlich –
weiter: »Künstlerischen Wert besitzen diese Figuren
nicht«[24]. Die Beurteilung der Qualität von Krippenfiguren hat sich seither stark gewandelt. Diese bayerischen Figuren aus den Jahren um 1800 sind wichtige und seltene Beispiele für die Krippengestaltung
dieser Zeit, und sie zeichnen sich aus durch die Pracht
der Gewänder und die Feinheit der Köpfe.
Aufgestellt wurde der Zug hier zusammen mit einem
Elefanten, einem Kamel und drei Pferden aus einer
anderen, zeitgleichen Krippe. Den Hintergrund mal-
te Bartholomäus Wappmannsberger beim Wiederaufbau der Krippenabteilung in Anlehung an ein Tiroler
Krippenkästchen der Zeit um 1800.
24 Georg Hager, wie Anm. 17, S. 82

61 Krippe aus dem Regelhaus der Servitinnen in Innsbruck

Figuren geschnitzt, Gelenke mit Draht verbunden, Köpfe aus Wachs bossiert, Haare aus Flachs oder Wolle, reiche textile Bekleidung mit Verzierungen in Gold- und Silberlahnstickerei mit Perlen- und Glassteinbesatz
Nordtirol, um 1750
H der Figuren: ca. 18 cm

Die Reformen unter Kaiser Joseph II. führten auch zur Aufhebung des Regelhauses der Servitinnen in Innsbruck. Die umfangreiche Krippe der dortigen Nonnen kam zunächst in den Besitz einer Familie in Wilten, die sie noch um 1900 regelmäßig aufstellte. Dort erwarb Max Schmederer die Figuren, angeblich für 1000 Kronen, und sorgte dafür, daß sie wieder in der traditionellen Aufstellungsart von Tiroler Krippen der Zeit um 1750 gezeigt werden konnten. Charakteristisch ist der dreistufige Berg als Schauplatz des heiligen Geschehens. Er wird bekrönt von der Silhouette der Stadt Bethlehem. Dieser dreistufige Berg stellt nach christlicher Überlieferung die Welt dar, für die sich durch die Geburt Christi das Heil eröffnet. An diesem Heil haben drei Bereiche Anteil: die belebte und die unbelebte Natur, also die Landschaft mit den wilden und den zahmen Tieren, außerdem die Judenwelt in Gestalt der Hirten und schließlich die Heidenwelt, die durch die hl. Drei Könige repräsentiert wird. Die Engel gehören dem Chor der reinen Geister an. Verdeutlicht wird durch diesen dreiteiligen Aufbau, dessen einzelne Stufen bestimmten Gruppen vorbehalten sind, der Gedanke, daß das mit Christus in die Welt gekommene Heil die gesamte Schöpfung umfaßt.
Die unterste Zone des Krippenberges wird im Mittelteil ganz von der Geburtshöhle eingenommen. Zu beiden Seiten sind Engel aufgestellt wie die Chöre im antiken oder die Götterboten im barocken Theater. Auch die Kleidung der Engel – enggeschnürte Samtkleider mit »römischen Schürzeln«, weite Spitzenärmel, hohe Kronen – und die Kreuzstäbe in ihren Händen verraten ihre Herkunft von der Bühne des

25

17. Jahrhunderts. Auf dem Berggelände darüber wird simultan die Verkündigung an die Hirten links und der Zug der Könige rechts dargestellt. Prächtig sind sie und ihr Gefolge ausgestattet, während die Tiroler Hirten sehr schlicht und ärmlich gekleidet sind. Sie unterscheiden sich darin von anderen Tiroler Krippenhirten dieser Zeit, die meist mit ledernen Hosen, gestickten Gürteln, Tuchjoppen und breiten Schattenhüten ausgerüstet sind. Diese Hirten scheinen eher barocken Gemälden der Geburt Christi entsprungen zu sein, die sie stets arm und schlicht gekleidet darstellten. Unter das Gefolge der Könige mischen sich Panduren, Mongolen, Husaren, Mohren, aber auch Hofbedienstete in der Adelskleidung der Rokokozeit. Es waren gewiß die Stiftsdamen selbst, die die Figuren modelliert, geschnitzt und mit viel Liebe bekleidet haben. Barocke Graphik diente ihnen dafür wohl als Vorlage.

Anachronistisch erscheinen die beiden Bettelmönche, die sich links vorne in den Zug der anbetenden Hirten gemischt haben. Als die Krippe noch im Kloster aufgestellt und für jedermann zu besichtigen war, bewachten sie die Opferbüchse und forderten die Betrachter dazu auf, ihren Obulus zu entrichten.

62 Papierkrippe

Figuren von Wenzel Fieger (1860–1924)
Trebitsch in Mähren, um 1890
Gouache auf Karton
H der Figuren: 3,5–14 cm

Von Papierfiguren wird vereinzelt schon in der Frühzeit der Krippengeschichte berichtet. Im Ensemble großfiguriger Kirchenkrippen verwendete man zweidimensionale, auf Blech oder Holz gemalte sogenannte Bretterfiguren als Ergänzung zu den vollplastischen. Die echten Papierkrippen aber wurden auf feinen Karton in Tempera- oder Gouachetechnik in einer Größe zwischen fünf und 30 cm gemalt. Sie waren vielfigurig und reich an Genreszenen und bildeten eine Spezialität von Theater- und Kirchenmalern der Rokokozeit. Bald erkannten die Käufer einer gesellschaftlichen Oberschicht die Vorteile der Papierkrippe gegenüber den geschnitzten oder modellierten Figuren mit textiler Bekleidung: Sie benötigte auch bei sehr figurenreichen Szenen wenig Raum, sie konnte aufgrund ihrer raschen Herstellungsart Neuerungen schnell umsetzen, sie bot dem Wunsch nach ausführlicher Detailschilderung kaum Grenzen und sie erreichte durch die illusionistische Art ihrer Aufstellung eine oftmals verblüffende Tiefenwirkung. Erst die in großen Mengen gedruckten und für geringe Beträge angebotenen Ausschneidebogen für Papierfiguren, die im 19. Jahrhundert allen Familien den Besitz einer Krippe ermöglichen sollten, verursachten die Beurteilung der Papierkrippe als billiger Ersatz für zu kostspielige dreidimensionale Figuren. Im 18. Jahrhundert wurden die von ausgebildeten Malern in gekonnter Technik, frischer Farbigkeit und unter Anwendung perspektivischer Kniffe hergestellten Papierkrippen besonders geschätzt.
In Böhmen und Mähren erreichte diese Gattung erst um die Mitte des 19. Jahrhunderts ihre Blüte. Hier waren es vor allem Kirchen- und Möbelmaler, Patenbriefschreiber, Knopfmacher oder Mesner, die sich als meist ungeheuer fleißige »Mannlmaler« betätigten. »Wenzel Fieger, geb. am 4. September 1860 in Trebitsch, Land Mähren, einziger Sohn des Joh. Fiegers,

Tuchscherer und dessen Ehefrau Cecilie geb. Kremlacek« heißt es über einen besonders begabten Papierfigurenmaler in einem amtlichen Schriftstück und weiter: »Wenzel Fieger war gelernter Knochenschnitzer. Später besuchte er das niedrige Gymnasium und war Kontrolor in der Bezirkskrankenkasse Trebitsch bis zu seinem Tod. Schon in der Schule war er ein Zeichner, illustrator u. Maler. Seit seinem 14 Lebensjahre war er Bethlehem-maler und schenkte mehrere komplette Bethlehem seinen Freunden Johann Wanke, Kaminfegermeister u. Lehrer Blakovec, Trebitsch. Einzelne Figuren schenkte er vielen anderen Bekannten. Das Bethlehemmalen war der Sinn seines Lebens, er war ein Mensch von gediegen Charakter, bescheiden, treusorgender Gatte u. guter Vater... W. Fieger gest. 24. Februar 1924«[25].
Im Jahr 1969 erhielt das Bayerische Nationalmuseum eine Papierkrippe von der Hand Wenzel Fiegers mit weit mehr als tausend Figuren. Sie wurde von Jan Fieger, dem Sohn des Schöpfers, nach alten Unterlagen wie Fotos und Zeichnungen und vor allem nach seinen eigenen Kindheitserinnerungen aufgebaut. Charakteristisch für die mährischen Papierkrippen ist der nicht übermäßig tiefe, jedoch sehr steile Krippenberg aus einem Gerüst von Holzlatten, bedeckt mit geknittertem Papier, das mit Tempera- oder Kaseinfarben in teils voneinander abgesetzten, teils ineinander verfließenden Grau-, Grün-, Braun- und Gelbtönen bemalt wird. Darauf werden lichtgrüne und weiße Farbtupfer gespritzt. Zwischen die Felspartien des Krippenberges sind flächige, mit Moos bedeckte Steilhänge eingefügt. In diesen Berg, der ganz deutlich auf eine einzige, streng frontale Schauseite hin ausgerichtet ist, werden die einzelnen Figuren mit Hilfe eines flachen Holzspießes, der auf ihrer Rückseite festgeleimt ist, hineingestochen. Die einzelnen Krippenkünstler bevorzugten dabei ganz individuelle Arten, die Figuren zu stecken. Wenzel Fieger neigte zu einer gleichmäßigen Verteilung über den gesamten Berg.
Die Figuren wurden auf Zeichenkarton gemalt und mit einem scharfen Messer sorgfältig ausgeschnitten. Fieger benutzte Pulverfarben, die ein Trebitscher Kaufmann in Holland bezog und die er selbst auf Glasplatten anrieb. Die Figuren der mährischen Papierkrippen wurden meist in drei unterschiedlichen

Größen hergestellt: ganz kleine für den Hintergrund, der im Falle des steilen Berges oben ist, mittelgroße für den Höhenzug und die größten, die ganz vorne, beziehungsweise unten aufgestellt wurden. Der Berg ist nach vorne durch einen akribisch gearbeiteten Zaun abgegrenzt.

Ikonographisch ist der Figurenbestand mährischer Papierkrippen aufs engste mit den süddeutschen Krippen spätbarocker Tradition verwandt. Die Szenenfolge ist meist: Verkündigung an die Hirten, die Hirten auf dem Feld wachend, schlafend, am Feuer lagernd und musizierend, die Hirten als Gabenbringer und Anbetende, der Stall in Form einer Ruine mit dem Gloriaengel, die Heilige Familie mit dem Jesuskind in der Futterkrippe oder einer Wiege. Wie in süddeutschen Krippen gibt es auch hier unter den Gabenbringern stereotype Figuren wie die Lammträger, Eierbringer, Vogel- und Weckenschenker, das hinweisende Kind mit dem Alten, die Fackelträger. Unter den Schafhirten fehlt natürlich auch der Sokkenstricker nicht. Die Trebitscher Krippen sind vollkommen auf die Darstellung dieses Hirtenlebens beschränkt, Dorf- und Marktszenen sucht man hier vergebens. Dagegen findet man nicht nur die vielfältigen Verrichtungen mit den Tieren dargestellt, das

Melken zum Beispiel und die Verarbeitung der Milch zu Butter und Käse, sondern auch den Feierabend der Hirten, wenn sie zusammensitzen und auf Hackbrett und Wurzhorn musizieren.

Typisch sind auch die auf dem Krippenberg verteilten Schloß- und Burgruinen. Dabei ist in unserer Krippe mit der Silhouette links oben ganz traditionell die Stadt Bethlehem gemeint, wohingegen die anderen Architekturen lediglich zur optischen Bereicherung des Krippenberges dienen. Wichtig für mährische Krippen ist daneben die vielfältige Vegetation: In den oberen Regionen windzerzauste Föhren und Krüppelfichten, weiter unten heimische Bäume und Sträucher, die dem Wild und den reichlich vorhandenen Vögeln als Unterschlupf dienen. In der unmittelbaren Umgebung des Stalles aber, der als einziges Teil dieser Krippe aus Holz geschnitzt und farbig gefaßt ist, wachsen exotische Pflanzen: Dattelpalmen, Bananenstauden und blühende Agaven. Diese wenigen Versatzstücke genügten Wenzel Fieger, um den tatsächlichen Schauplatz des Weihnachtsgeschehens anzudeuten.

25 Diese Urkunde wird zusammen mit einem Portraitfoto von Wenzel Fieger im Archiv des Bayerischen Nationalmuseums verwahrt.

Kat. Nr. 62

70–73 Jahreskrippe

Figuren von mehreren Schnitzern aus der
Familie Probst
Sterzing, etwa 1780–1805
Zirbelholz, geschnitzt und farbig gefaßt
H der Figuren: ca. 4–6 cm
Inv.-Nr. 74/200, 1–495

Die insgesamt fast fünfhundert miniaturhafte
Schnitzfiguren umfassende Jahreskrippe soll von den
früheren Besitzern bei mehreren Ferienaufenthalten
zu Beginn des Jahrhunderts in Brixen, Südtirol, nach
und nach erworben worden sein. In Sterzing, beziehungsweise Brixen dürfte sie auch entstanden sein,
als eines der Gemeinschaftswerke mehrerer Mitglie-
der der Schnitzerfamilie Probst. Zu ihr gehörte der
als »criplhaft und krump« bezeichnete, 1758 gebore-
ne Augustin Alois Probst, der »sonst zu jedem Brot-
erwerb unfähig, in der Verfertigung kleiner hölzerner
Figuren eine sonderbare Geschicklichkeit zeigt«[26].
Als er noch nicht fünfzigjährig starb, übernahm sein
viel jüngerer Halbbruder Josef Benedikt Probst
(1773–1861) manchen noch nicht fertiggestellten

Auftrag. Er dürfte der produktivste Krippenschnitzer
der Familie gewesen sein. Auch vier seiner Kinder
waren in diesem Metier tätig, doch ist es fast unmöglich, die mehr als 10.000 erhaltenen Figürchen dieser
Familie einzelnen Händen zuzuweisen. Ungeklärt ist
auch, wer die Figuren gefaßt hat. In der Literatur
wird immer wieder angenommen, daß mehrere Töch-
ter von Joseph Benedikt die schönen Farbfassungen
angebracht haben.

Jahreskrippen bestehen eigentlich meist aus besonders großformatigen Figuren, die in Kirchen und
Klöstern aufgestellt und ganz bewußt für die Unterweisung der Gläubigen in der biblischen Geschichte
benutzt wurden. Nicht so bei den Jahreskrippen der
Schnitzerfamilie Probst: Mit zahlreichen, besonders
kleinformatigen Figürchen konnten hier biblische
Szenen und Gleichnisse aufgebaut werden.
Dargestellt werden außer der Weihnachtsszene folgende Ereignisse des liturgischen Jahres: Verkündigung der Geburt des Johannes, Verkündigung an
Maria, Besuch Marias bei ihrer Base Elisabeth, Herbergssuche, Flucht nach Ägypten, Beschneidung,
Darstellung im Tempel und Mariae Reinigung, Ritt
und Anbetung der Könige. Nach dem eigentlichen
Weihnachtsfestkreis folgen weitere Themen: Die Hei-

lige Familie auf der Wallfahrt nach Jerusalem, der Zwölfjährige im Tempel, Hochzeit von Kanaa, Christus weint über Jerusalem, Einzug in Jerusalem, Vertreibung der Händler aus dem Tempel, Maria und Martha, Fußwaschung, Letztes Abendmahl, Ölberg, Judas, Hoher Rat, Ecce Homo, Verspottung, Geißelung und Dornenkrönung, Kreuzweg, Entkleidung, Annagelung auf das am Boden liegende Kreuz, Kreuzerhöhung, Grablegung, Auferstehung, Noli me tangere, Pfingsten, Christi Himmelfahrt, Mariae Himmelfahrt und Jüngstes Gericht. Außerdem sind folgende Gleichnisse in Form von kleinen Figurengruppen darzustellen: Gleichnis vom Sämann, Erscheinung auf dem Berg Tabor, der Esel im Brunnen, der reiche Fischfang, der Seesturm, Gleichnis von den Arbeitern im Weinberg, Gleichnis vom Splitter im Auge des Nächsten, der barmherzige Samariter, Gleichnis vom Pharisäer und Zöllner, Gleichnis vom ungerechten Verwalter, Heilung des Taubstummen, Heilung des Blinden, der verlorene Sohn, Auferweckung des Lazarus, der Jüngling von Naim, das Töchterlein des Jairus, Heilung eines Gelähmten und Gleichnis von der verlorenen Drachme.

Die Krippe ist aufs engste verwandt mit der sogenannten Salonkrippe, heute im Besitz des Diözesanmuseums Brixen, die Augustin Alois und Joseph Benedikt Probst um 1800 für den Brixener Fürstbischof Karl Franz Graf von Lodron anfertigten. Diese Krippe besteht aus etwa 4000 Figuren in einer Größe von 6 bis 8 cm und ist, wie alle Probstkrippen, mit leuchtenden Leimfarben gefaßt. Sie stand ursprünglich im Vorzimmer des Fürstbischofs und wurde wöchentlich entsprechend den Evangelientexten umgebaut. Einen geistlichen Besitzer möchte man auch für unsere Probstkrippe annehmen, auch wenn sie weit weniger umfangreich ist. Das Aufstellen der richtigen Szenen zur richtigen Zeit erforderte auch hier umfassende Bibelkenntnisse.

26 Zitiert nach Simnacher 1829 bei: Josef Ringler, Die Krippenschnitzer Probst im Spiegel literarischer Erwähnungen. In: Der Schlern 1957, S. 495 ff.

77 Phantasiebild der Stadt Jerusalem mit Aufbruch der hl. Drei Könige nach ihrem Besuch bei Herodes

Bauten von Karl Siegmund Moser (1790–1865)
Bozen, zwischen 1825 und 1860
Holz, farbig gefaßt
Figuren von der Schnitzerfamilie Probst
und von Johann und Franz Xaver Pendl
Tirol, um 1800
Zirbelholz, farbig gefaßt
H der Figuren: 12–15 cm

Der wohlhabende Bozener Gerbermeister Karl S. Moser hat um die Mitte des 19. Jahrhunderts als Autodidakt unzählige Architekturen und Hintergründe, sogenannte Prospekte, für Krippenszenen gebaut. Aufgestellt hat er die Stadtansichten mit prächtigen Gebäuden, Brunnen und Denkmälern, die Dörfer mit beweglichen Mühlrädern und pochenden Hammerwerken in seinem Haus in der Raingasse. Zu diesem Haus gehörte ein im 19. Jahrhundert berühmter, von vielen Reisenden aufgesuchter und in ihren Berichten geschilderter Garten mit Wasserspielen, Zitronen- und Orangenbäumen und sogar kleinen Wäldchen. Nicht nur den Garten, auch die Krippen konnte jeder Interessierte besichtigen. Der liberal gesinnte und gerne spöttelnde Rechtsanwalt, Notar und Reiseschriftsteller Ludwig Steub aus München besah sich die Moserschen Krippen im Jahr 1844 und schrieb darüber in seinem Buch »Drei Sommer in Tirol«: »Der Meister arbeitet nun schon seit langen Jahren an einer Weihnachtskrippe, welche die kunstreichste sein dürfte, die seit Christi Geburt errichtet wurde… Als er das Kunstwerk begann, hatte er lauter moskowitische Ideen im Kopf, moskowitische Ideen mit stark mohammedanischem Anflug, und er schnitzte Tempel und Burgen wie im Kreml, mit wunderlichen Türmen und birnförmigen Kuppeln… Dann versetzte er sich mit jähem Sprung nach Italien und schuf im Geiste Palladios etliche herrliche Paläste. Endlich fing er an, nach den Geheimnissen der altdeutschen Bauhütte zu forschen, und nun entstehen gotische Gebäude von unübertrefflicher Groß-

artigkeit des Entwurfs und Feinheit der Ausführung. Vornehin an den Hauptplatz stellt er eine Residenz oder Königsburg, die dem Rathause zu Brüssel, oder sonstwo nachgedacht ist, mit einem Glockenturm…«[27]. Tatsächlich hat das Gebäude links vorne in der Krippenszene im Museum das Brüsseler Rathaus zum Vorbild, andere Architekturen entstammen der »palladianischen Phase«.

Im Jahr 1920 veröffentlichte die Südtiroler Kulturzeitschrift »Der Schlern« einen Aufsatz von Josef Psenner, in welchem der Autor schildert, wie er als kleiner Bub – wohl um die Mitte des 19. Jahrhunderts – zufällig vor die Moserkrippe geraten war. Er hatte den »Hof voll Gärberlohe« durchquert, war eine enge Holztreppe hinaufgestiegen und fand sich nun plötzlich in einem abgeschiedenen Raum. »Vor mir auf einer bühnenartigen Erhöhung hingebreitet lag in märchenhafter Beleuchtung eine weite, schimmernde Stadt mit Toren und ragenden Türmen, mit prächtigen Palästen, mit stolzen Kuppeln, von denen der Halbmond glänzte, während der Hintergrund sich in ein geheimnisvolles Dunkel verlor. Aus breiter Straße kommt eine stolze Reiterschar, kommt wanderndes Volk.« Plötzlich erscheint zum großen Entsetzen des Buben hinter ihm der »alte Herr Moser«. »Ich erschrak, daß mir fast das Wasser in die Augen kam. Allein der gute Herr Moser lachte nur, hob mich dann auf einen Stuhl, damit ich's gut sehen konnte und sagte: Ja, siehst du, das ist die Stadt Jerusalem und da links das hohe Gebäude, das fast wie eine gotische Kirche aussieht, das ist die Königsburg… Wie ich aber noch immer so ganz verloren schaue und schaue, da schnurrt auf einmal etwas leise, dann aber fängt's an von einem der vielen Stadttürme zu schlagen und wie ein Geisterhauch klingt der harmonische Stundenschlag über Jerusalem hin.« Weiter unten berichtet Psenner dann: »Und alle diese prächtigen, reichen Paläste und den Tempel Salomonis und die Königsburg hat der Herr Moser selbst geschnitzt, und die Anordnung des Ganzen stammte ebenso von ihm, die Beleuchtungsmaschinerie, die unsichtbar vom Beschauer im Oberboden angebracht war, die Wasserkünste, alles war sein Werk, nur die Figuren bezog er von auswärts. Es sollte die schönste Krippe weitum werden. Der Erzherzog Rainer soll ihm dafür 4000 Gulden geboten haben, aber er gab sie nicht her. Mit

der Zeit wurden die Wasserkünste schadhaft, das Holzgerüst faulte, manches ging zugrunde. Die Nachfolger hatten kein Interesse dafür. Endlich wurde die Krippe geteilt, verkauft, bald da bald dort hörte man von einer Moserkrippe. Zuletzt erwarb der bekannte Herr Schmederer, dessen großartige Krippensammlung ein ganzes Stockwerk des Nationalmuseums in München füllt, die Stadt Jerusalem, soweit sie noch beisammen war, und dort in München steht sie, eine der ersten, wenn man den Raum betritt«[28]. Die großartigen Architekturen seiner Krippen hat Karl S. Moser aus Holzteilen zusammengefügt, die Verzierungen wie Säulen, Balustraden oder die gotischen Fialen ebenfalls aus Holz geschnitzt und alle Teile anschließend sorgfältig bemalt. Sicherlich hat er nach graphischen Vorlagen gearbeitet. Es ist überliefert, daß Moser Radierungen gesammelt hat. Alle Bilder von prächtigen und schönen Architekturen, gleich in welcher Epoche und in welchem Teil der Welt sie entstanden waren, konnten ihm für seine Bauten als Vorbilder dienen. Er hat sich sein Phantasiebild der Stadt Jerusalem entworfen, die bei ihm keine orientalische Stadt ist, sondern eine Zusammenfügung großartiger Gebäude.

Die Figuren zu seinen verschiedenen Krippenszenen hat Moser bei Schnitzern in seiner Umgebung gekauft, bei Mitgliedern der Familien Pendl oder Probst. So, wie es Psenner in seinem Bericht über seinen heimlichen Besuch der Moserkrippe berichtet »... aus breiter Straße kommt eine stolze Reiterschar...« so wurde hier der Zug der hl. Drei Könige in die prächtige Architektur hineinkomponiert. Die Könige haben Herodes bereits ihren Besuch abgestattet und sind nun im Aufbruch, den neugeborenen König der Juden zu suchen.

Wie es schon im Schlern geschildert worden war, – die Krippe versank nach Mosers Tod 1865 unter einer dicken Staubschicht und verfiel langsam. Teile wurden dem Bozener Gesellenverein übergeben, der sie noch einige Jahre lang aufstellte. Wie sie schließlich in das Kinderkrankenhaus in Rovereto gelangen konnte, ist völlig ungeklärt. Sicher ist nur, daß Max Schmederer die noch vorhandenen Teile dort um das Jahr 1890 für seine Sammlung erwarb. In seiner ersten Aufstellung im Dachgeschoß des Museums plazierte er jedoch nicht die »Reiterei« auf dem wei-

ten Platz der großartigen Stadtanlage, sondern zeigte den Platz tief verschneit mit nur einigen wenigen Figuren und einer Kutsche. Er wollte damit, wie Georg Hager 1902 schrieb, »... die Stimmung der Einsamkeit erhöhen und Architektur und Landschaft noch mehr auf sich wirken lassen... so stellt sich deutsche Phantasie und deutsches Gemüth den heiligen Abend in Jerusalem vor, als der Erlöser zu den Menschenkindern herabstieg«[29]. Bei der Neuaufstellung in den 50er Jahren wurde die Moser'sche Originalaufstellung anhand der historischen Schilderungen rekonstruiert.

27 Ludwig Steub, Drei Sommer in Tirol. München 1895 (3. Aufl.), S. 158 ff.
28 Josef Psenner, Die Moserkrippe in Bozen. In: Der Schlern, 1920, S. 368 f.
29 Georg Hager, wie Anm.17, S. 55 f.

Krippen aus München

78 Die Hirten auf dem Feld

Figuren von dem Schnitzer Ludwig (gest. um 1830)
Holz, geschnitzt und gefaßt, textile Bekleidung
München, um 1800
Kämpfende Stiere, Hirtenhund und Ziegen von dem
Münchner Schnitzer Niklas, frühes 19. Jahrhundert
Schafe und andere Tiere von Wendelin Reiner,
Andreas Barsam und anderen Münchner Schnitzern
des 19. Jahrhunderts
H der Figuren: bis 26 cm

Die Malerei des Krippenprospekts stammt, wie in
allen im Jahr 1959 neu aufgestellten Krippen, von
Bartholomäus Wappmannsberger (1895–1990) aus
Prien am Chiemsee. Er hatte nach einer Lehre als
Dekorationsmaler vor allem an der Restaurierung von
Deckenfresken in zahlreichen Kirchen und Klöstern
in München und Oberbayern gearbeitet. Eine Begegnung mit dem Münchner Krippenkünstler Otto Ze-
hentbauer im Jahr 1920 lenkte sein Interesse auf
Krippen und ihre gemalten Prospekte. Bald führte er
für zahlreiche Münchner Kirchenkrippen Hinter-
grundmalereien aus und erhielt schließlich den Auftrag, alle im Zuge des Wiederaufbaus der Abteilung
im Bayerischen Nationalmuseum in den 50er Jahren
neu zu gestaltenden Malereien auszuführen. Er be-
herrschte die Kunst, den Krippenszenen mit Hilfe der
kulissenartigen Hintergründe Weite und Tiefe zu
geben. Je nach dem Thema der Szene und je nach
den verwendeten Figuren schuf er heimische Land-
schaften, aber auch orientalische Ansichten und
schließlich so überzeugende Veduten wie den Ausblick vom Flachdach eines neapolitanischen Hauses
über die Krippe hinweg auf den Golf und den am
Horizont erscheinenden Vesuv (Nr. 106).

Das ganze 18. Jahrhundert über hatten die Hirten
und das anbetende Volk in den Krippen die Kleidung
ihrer Entstehungszeit und – landschaft getragen. Erst
zu Beginn des 19. Jahrhunderts entwickelte sich
unter dem Einfluß der Nazarener die sogenannte
»orientalische Krippe«. Nun trugen die Hirten Fell-
umhänge und Sandalen, bekamen fremdländische

Gesichtszüge und bewegten sich in einer morgenlän-
dischen Landschaft mit Palmen und Agaven. In dieser
Münchner Krippe ist der Schritt zum orientalischen
Typus bereits vollzogen. Die drei Hirten werden dem
talentierten Schnitzer Ludwig zugeschrieben, von
dem man nicht einmal den vollen Namen kennt. Sie
sollen ursprünglich zur berühmten Krippe von Joseph Paul Spöckmayr (1740–1821), Benefiziat von
St. Peter, gehört haben, nach dessen Tod im Jahr
1838 durch den Hofmusiker Zink um 41 Gulden
erworben und schon ein Jahr später von diesem an
den Magistratskassier Zeiller für 44 Gulden 48 Kreu-
zer weiterverkauft worden sein. Über den Besitz des
Graveurs Seitz kamen sie schließlich in die Sammlung
Schmederer. Georg Hager beschreibt sie 1902 sehr
eindrücklich: »An Köpfen und Händen ist die Ausführung der Einzelheiten bis aufs Aeusserste getrieben, die Muskulatur und die Adern sind derart im
Einzelnen herausgearbeitet, wie wir dies bisweilen bei
spätgothischen Werken des sechzehnten Jahrhunderts treffen, die Falten und Runzeln der Haut, das
struppige Gewirr der Barthaare sind mit scharfem
Blicke der Natur abgeguckt«[30].
Ein anderer, nur unter dem Namen Niklas bekannter
Schnitzer soll eigentlich Zimmermann gewesen sein
und in der Münchner Au um 1800 besonders natur-
nahe Tiere gefertigt haben. Möglicherweise dienten
ihm dafür Stiche von Riedinger als Vorlagen. Als eines
seiner Meisterstücke gelten die beiden kämpfenden
Stiere, die ursprünglich ebenfalls zur Krippe in St.
Peter gehört haben sollen.

Sie waren später für viele Jahre getrennt, einer in der Seitz'schen und einer in der Kolditz'schen Sammlung, bis Max Schmederer beide erwarb und sie wieder zusammenführte. Auch der zottelige Hirtenhund wird Niklas zugeschrieben. Er muß bei den Käufern Münchner Krippenfiguren in der ersten Hälfte des 19. Jahrhunderts sehr beliebt gewesen sein, denn er wurde in einer recht großen Stückzahl mit lediglich kleinen Varianten angefertigt.

Auch Wendelin Reiner (1800–1845) aus Schwabmünchen, der ebenfalls in der Au lebte, tat sich als begabter Tierschnitzer hervor. Sein Stiefsohn Andreas Barsam (ca. 1835–1869) schnitzte Tiere, aber auch Engel. Seine Arbeiten galten als etwas flüchtig, er selbst wird als leichtsinnig beschrieben. Von diesen beiden Schnitzern sollen Schafe und Ziegen in der Szene der Verkündigung an die Hirten stammen.

30 Georg Hager, wie Anm. 17, S. 71

Krippen aus Neapel

100 Straße in Neapel mit Marktszenen

Figuren und Zubehör von
verschiedenen neapolitanischen Meistern
Mitte bis 2. Hälfte 18. Jahrhundert
Köpfe Terracotta, gefaßt; Gliedmaßen Holz, gefaßt
Textile Bekleidung
H der Figuren: ca. 38 cm

Im Jahr 1781 erschien in Paris ein Reisebericht über Neapel und Sizilien aus der Feder des Abbé de Saint-Non. Er beschreibt die Krippen in Neapel, die er mit offensichtlicher Begeisterung besichtigt hat: »Alles ist im Kleinen dargestellt, mit Figuren, die mit vollendeter Wahrheit und Natürlichkeit gemacht und gekleidet sind. Diese Art Schaustück, anderswo den Kindern und dem Volke überlassen, verdient in Neapel in Folge der vollendeten Darstellung die Beachtung des Künstlers und des Mannes von Geschmack«[31]. Th. Trede berichtet 1881 in einem Essay mit dem Titel »Süditalienische Weihnacht« über die neapolitanischen »Presepe«, die vielfigurigen Krippen: »Die Osterien und Trattorien an den Wegen fehlen ebenfalls nicht, und wir finden es völlig in der Ordnung, dass der freie Platz vor dieser oder jener Osteria von Wanderern erfüllt ist, die an Tischen zechend sitzen... Solch weltliche Weinschenke thut in den Augen der Neapolitaner der Heiligkeit des Presepio und der Kirche durchaus keinen Abbruch, und diese meist vortrefflich dargestellten Krippenosterien werden mit derselben Andacht betrachtet, wie die Höhle dort, wo der Bambino in der Krippe auf Stroh liegt, und neben ihm die heilige Madonna sitzt, wobei Ochs und Esel nicht fehlen«[32].
Bereits bei der ersten Einrichtung der Krippensammlung im Dachgeschoß des Museums wurde eine mehrere Meter lange, wenig tiefe Straßenszene gezeigt, die all jene weltlichen Begebenheiten aus den neapolitanischen Presepe zeigten, die oft das eigentliche Weihnachtsgeschehen völlig an den Rand zu drängen scheinen. Die Tatsache, daß sich eine so große Zahl von äußerst qualitätvollen Figuren und Zubehörteilen erhalten hat, die ausschließlich für Markt- und Straßenszenen zu gebrauchen sind, läßt keinen Zweifel an der Häufigkeit solcher Arrangements innerhalb der Krippen in Neapel zu. In unserem Szenenbild fehlt die Anbetung des Jesuskindes völlig, allein die beiden Dudelsackbläser vor dem Hausaltärchen links weisen auf die Weihnachtszeit hin. Noch heute kommen die »pifferari«, die Bläser aus den Abruzzen, alljährlich in der Adventszeit in die Stadt und spielen überlieferte Hirtenweisen vor den Häusern und auf den Plätzen.
Die Architektur für diese Straßenszene hat Max Schmederer bis ins kleinste Detail selbst geplant und mit Kohle auf eine 15 m lange Rolle Papier, die an Holzlatten befestigt war, skizziert. Sie wurde unter seiner Aufsicht gebaut und farbig gefaßt. Beim Wiederaufbau konnten zahlreiche Originalteile wiederverwendet werden.
Die Straße wird bevölkert durch Gruppen von Figuren, die in lebhafte Gespräche vertieft sind. Sie gestikulieren weit ausholend mit den Händen und ihren charakteristischen überlangen Fingern, die sehr zur lebendigen Wirkung jeder ihrer südländischen Gesten beitragen. Jede Figur zeigt eine andere Hand- und Fingerhaltung. Vor den einzelnen Marktständen wird gehandelt und gefeilscht. Angeboten werden Obst und Gemüse, Fleisch in Form von ganzen Schweinehälften, Fisch und Meeresfrüchte, Geflügel,

aber auch Dienstleistungen, wie etwa die Tätigkeit eines Schreibers. Rechts außen treffen sich die Männer auf der erhöht gelegenen Terrasse der »spelonca« beim Wein. Katzen und Hunde streunen zwischen den Marktständen und den Tischen herum auf der Suche nach Leckerbissen; eine Katze hat einen Fisch erwischt. Fast alle Zubehörteile der neapolitanischen Krippen, »finimenti« genannt, sind aus Terracotta geformt, gebrannt, farbig gefaßt und ein zweites Mal gebrannt. Nur die winzigen Weintrauben an den Obstständen und manchmal auch die verschiedenen Käsesorten sind aus eingefärbtem Wachs geformt. Es gab spezialisierte Handwerker, die das Marktzubehör oder die Ausstattung einer Osteria, die herrenlosen, umherstreunenden Tiere oder die Kleingeräte wie Waagen oder Musikinstrumente herstellten. Namentlich bekannt geworden sind sie nicht, denn ihre Erzeugnisse waren mehr oder weniger Massenproduktion, auch wenn ihre Qualität hervorragend ist. Das Privileg, die eigenen Arbeiten zu signieren, hatten nur die Modelleure der ausdrucksstarken Köpfe neapolitanischer Figuren, die ebenfalls aus Terracotta geformt sind. Jede Figur hat ihren spezifischen Charakter, der sich in der Kopfhaltung, in der Gestaltung der Augen und des lächelnden oder griesgrämigen Mundes, in Hohlwangigkeit oder rundem Gesichts-

schnitt, in Blaßheit oder munterem Wangenrot ausdrückt. Die Kleidung der Figuren entspricht der neapolitanischen Bürgerkleidung des mittleren 18. Jahrhunderts, sie ist in ihrem Gesamteindruck wie auch in ihren Einzelteilen eine wichtige Quelle für die Kostümgeschichte. Betrachtet man die Größe der Musterung bei den verwendeten Stoffen, so stellt man fest, daß sie in den Proportionen genau der Figurengröße von etwa 38 cm entspricht. Das bedeutet, daß für die Bekleidung dieser Figuren keine Stoffreste aus Schneidereien verwendet wurden, deren Dessins wesentlich größer gewesen wären. Es gab in Neapel eigene Manufakturen, die die kleingemusterten Stoffe für Krippenfiguren herstellten. Dasselbe gilt für die Posamenten und anderen Ausstattungsstücke: für Knöpfe, Borten und Spitzen, für Schmuckstücke, Spazierstöcke und Tabakspfeifen.

31 L'Abbé de Saint-Non, Voyage pittoresque ou description des royaumes de Naples et de Sicile. Paris 1781, S. 241. Hier zitiert in der von Georg Hager verwendeten Übersetzung.
32 Th. Trede, Ueber Land und Meer. Bd. 45/1881, S. 319

106 Anbetung der Hirten und des Volkes

Figuren von verschiedenen neapolitanischen
Meistern
Mitte bis 2. Hälfte 18. Jahrhundert
Köpfe Terracotta, gefaßt. Gliedmaßen Holz, gefaßt.
Textile Bekleidung
H der Figuren: ca. 38 cm
Tiere Holz, farbig gefaßt
Bauten größtenteils von Max Schmederer
Szenerie von Wilhelm Döderlein, 1959

»Neapel, den 27. Mai 1787. Hier ist der Ort, noch
einer andern entschiedenen Liebhaberei der Neapolitaner überhaupt zu gedenken. Es sind die Krippchen
(presepe), die man zu Weihnachten in allen Kirchen
sieht, eigentlich die Anbetung der Hirten, Engel und
Könige vorstellend, mehr oder weniger vollständig,
reich und kostbar zusammen gruppiert. Diese Darstellung ist in dem heitern Neapel bis auf die flachen
Hausdächer gestiegen; dort wird ein leichtes, hütten-
artiges Gerüste erbaut, mit immergrünen Bäumen
und Sträuchern aufgeschmückt. Die Mutter Gottes,
das Kind und die sämtlichen Umstehenden und Um-
schwebenden, kostbar ausgeputzt, auf welche Garderobe das Haus große Summen verwendet. Was aber
das Ganze unnachahmlich verherrlicht, ist der Hintergrund, welcher den Vesuv mit seinen Umgebun-
gen einfaßt«[33]. So beschreibt Johann Wolfgang von
Goethe aus Anlaß seines zweiten Neapel-Aufenthal-
tes die dort übliche Art der Krippenaufstellung.
Eine etwas andere Situation schildert der deutsche
Maler Joseph von Führich bei seinem Romaufenthalt
1827–1829. Auch dort war die Aufstellung von Krippen auf Hausdächern üblich. Er zeichnet eine solche
Situation für seine Eltern und schreibt dazu: »Dieses
ist nämlich der obere Teil eines Hauses, einestheils
flach und ohne Bedeckung, auf der einen Seite ein
flaches Dach, auf vier Säulen ruhend, im Sommer vor
der Sonne, im Winter vor Regen zu schützen, aber
auf allen Seiten offen. Bei vielen Häusern besteht dieß
auch bloß aus einer Weinlaube. Unter ihm ist die
Krippe aufgebaut, nämlich bloß die Figuren. Den
Hintergrund dazu gibt die Aussicht in's Freie. So

bilden gewöhnlich auf der einen Seite die nächsten
Häuser und Thürme die Stadt Bethlehem und auf der
anderen die Aussicht nach den Gebirgen die Landschaft. Die Krippen machen einen sehr hübschen
Eindruck«[34].

Max Schmederer notierte am 11. Dezember 1901
mit Bleistift auf einem kleinen Blatt sehr dünnen
Papiers »Neapolitanische Krippe mit Aussicht auf
Vesuv – Göthe schreibt in einem Briefe dd. Neapel –
1787, dass er in Neapel Krippen gesehen habe, die
auf den flachen Dächern…«; mit seinen eigenen
Worten wiederholt er dann Goethes oben zitierte
Beschreibung. Die besonders eindrucksvolle Krippenszene der Anbetung der Hirten und des Volkes
vor der Silhouette des Golfes von Neapel mit dem
Vesuv im Hintergrund konnte bei der Eröffnung der
Abteilung 1901 allerdings noch nicht bewundert
werden, sie entstand erst im Verlauf des Einweihungs-
jahres. Nach der Zerstörung im Krieg wurde sie
originalgetreu wieder hergestellt.

Auch die Schilderungen des Abbé de Saint-Non treffen auf die Szenarien im Bayerischen Nationalmuseum zu: »Oft richtet man diese Schaustücke und
Repräsentationen auf den Terrassen auf, welche alle
Häuser bedecken. Moos, Pappdeckel, Korkstücke
und Baumzweige, das sind ungefähr die Bestandthei-
le, aus denen der Grund des Bildes hergestellt ist.
Aber das schmückende Zubehör ist mit einer Kunst,
mit einem Zauber vertheilt und gruppirt, dass es jeder
Beschreibung und Vorstellung spottet. Ruinen, Bau-
ernhäuser, Bäche, Brücken, Wasserfälle, Berge, Thie-
re, alle diese Dinge sind mit unendlicher Geschicklichkeit vereinigt, und das Ganze ruft eine ganz
einzige Illusion hervor. Das Blau des natürlichen
Himmels verwebt sich mit dem Ton und der Farbe
der Fernen, welche den Hintergrund bilden, mit
solch perspektivischer Täuschung, dass ein Berg, der
zwanzig oder dreissig Fuss vom Beschauer steht, in
völlig richtiger Proportion eine Meile entfernt zu sein
scheint. Sehr bemerkenswerth ist noch, dass nicht
Handwerker oder Künstler diese kleinen Wunderwerke herstellen, sondern reiche Privatleute, die viel Zeit
und Geld darauf verwenden. Es wird versichert, dass
es Präsepien gibt, welche auf 30.000 Ducaten, d. h.

auf 60–80.000 Franken zu stehen kommen; so viel kostet das Kaufen der Figuren, das Kleiden derselben, die Arbeit der Architektur welche mit unaussprechlicher Wahrheit in Kork nachgebildet ist«[35].

Die geschickte Verwendung von Figuren in unterschiedlicher Größe verstärkt in diesem Szenenbild die Illusion räumlicher Tiefe. Die Figuren, die im Hintergrund an der niedrigen Mauer stehen, sind einige Zentimeter kleiner als jene im Mittelgrund. Noch einmal größer ist der Mann ganz vorne, der mit einladender Geste alle Beschauer auffordert, näher heranzutreten.

33 Johann Wolfgang von Goethe, Die Reisen. Zürich und München (Artemis) 1978, S. 361 f.
34 Joseph von Führich's Briefe aus Italien an seine Eltern (1827–1829). Freiburg 1883, S. 81
35 L'Abbé de Saint-Non, wie Anm. 31

Farbabbildung auf dem Einband

108 Anbetung der Könige in einem Marmorpalast

Maria und Joseph von Giuseppe Sammartino,
hl. Drei Könige wohl von Lorenzo Mosca,
übrige Figuren von verschiedenen neapolitanischen
Meistern, alle 2. Hälfte 18. Jahrhundert
Terracotta, farbig gefaßt, textile Bekleidung
Tiere aus Holz und Terracotta, farbig gefaßt
H der Figuren: ca 38 cm

Am 5. Dezember 1903 notierte der Konservator des
Bayerischen Nationalmuseums Professor Rudolf von
Seitz in seinem Protokoll einer Besichtigung im Hause Max Schmederers: »Kommerzienrat Schmederer
verfügt wieder über eine große Menge von Krippen-
material, namentlich neapolitanischer Herkunft...
Schmederers Absicht bei der Verwendung... zur weiteren Ausdehnung der Krippensammlung im Bayer.
Nationalmuseum wäre nun vornehmlich auf die Darstellung eines großen Krippenbildes der Anbetung
der hl. 3 Könige gerichtet, das sich aber durch Komposition und scenische Ausstattung von den schon
vorhandenen Bildern mit dem gleichen Sujet wesentlich unterscheiden soll... Soll das neue Bild mit italienischer Hochrenaissance-Architektur verbunden
und in vorbildliche Anlehnung an die Weise der
großen Repräsentationsdarstellungen Paolo Veroneses (Gastmäler, Festgelage etc.) angeordnet werden.
Es ist nicht zu bezweifeln, daß hiedurch dem Gegen-
stande ein neues Interesse verliehen und ein Bild
geschaffen werden könnte, das... dem Geiste des
neapolitanischen Krippenwesens vollkommen entsprechen würde«[36].
Als die sogenannte Palastkrippe dann im Jahr 1904
zum ersten Mal zu besichtigen war, schrieben die
Münchner Neuesten Nachrichten: »In hochgewölb-
ter Mittelhalle... spielt sich die eigentliche Huldigung der Könige vor zahlreich versammeltem Volke
ab. Sie legen der lieblichen Madonna und dem Jesuskind ihre Schätze – eine exquisite kleine Sammlung
von Gold- und Silberschmiedearbeiten – zu Füßen.
Ein prunkvoll ausgestattetes Musikkorps mit silber-
nen Instrumenten spielt zu dem Aufzuge, der über-

haupt in allem ein königliches Gepränge zeigt. Links und rechts von der Halle, eine Treppe tiefer, liegen Höfe in reicher italienischer Architektur, wo das Gefolge der Könige mit Rossen und Kamelen sich niedergelassen hat«[37].

Für keine andere Krippenszene hat Schmederer so viele Skizzen angefertigt wie für die Architektur der Palastkrippe, von keiner anderen Baumaßnahme gibt es so viele Zustandsfotos, auf denen der Kommerzienrat häufig selbst abgebildet ist. Die Idee zu einer prachtvollen Palastarchitektur mag ihm beim Betrachten der Gemälde Veroneses in den Sinn gekommen sein. Sie sollte aber auch auf die Provenienz der Figuren aus königlichem Besitz hinweisen. Schmederer hat auch ganz unmittelbare Reiseeindrücke verarbeitet: Am 8. April 1902 zeichnete er auf die Innenseite eines mit der Ansicht der Piazza San Marco bedruckten Postkartenumschlages eigenhändig den Aufriß mehrerer Bogenhallen mit detaillierter Angabe der Verzierungselemente. Wenige Tage später benutzte er das Briefpapier des Hotels Imperial in Trient, um im dortigen Dom ebenfalls Skizzen von Bogenarchitektur mit Balustraden und Aufgängen anzufertigen[38]. Die Architektur wurde schließlich exakt nach seinen Entwürfen und einem 1:10-Modell ausgeführt. Sie wurde mit einer Weißfassung versehen, um die Wirkung eines Marmorpalastes zu erwecken. In diesem prächtigen Palast spielt sich die prunkvolle Szene der Anbetung der hl. Drei Könige ab.

Von außergewöhnlicher Schönheit ist die Gruppe der Maria mit dem sich lebhaft den Weisen zuwendenden Jesusknaben auf ihrem Schoß. Sie ist von Giuseppe Sammartino (1720–1793), dem wohl bedeutendsten Modelleur von Krippenköpfen, signiert. Von ebensolcher Qualität sind die Figuren der Könige, die sehr deutlich den Jüngling in Gestalt des Mohren, den Mann im mittleren Alter in der Figur des bärtigen

Königs mit dem feingeschnittenen Gesicht und den alten Mann mit grauem Bart repräsentieren. Dieser ist vor dem Jesusknaben auf die Knie gesunken und reicht ihm ein Goldgefäß. Mohrendiener und Pagen in großer Zahl bevölkern die Palasttreppe und schleppen, lebhaft gestikulierend, ein korallenbesetztes Goldgefäß hinauf. Die kostbarsten Geschenke der Könige haben sie bereits vor Maria auf einem Samtteppich ausgebreitet: Es sind Platten aus Gold, Schatullen aus Silberfiligran, Doppelhenkelgefäße mit Steinverzierungen. All diese Geschenke sind qualitätvolle kunsthandwerkliche Arbeiten, bei denen die Formen großer Objekte ihrer Zeit ganz getreu in das Miniaturformat übertragen wurden.

Im rechten Hof des Palastes hat sich eine Kapelle von etwa vierzig Bläsern formiert. Ihre Instrumente sind heute wichtige Quellen für die Musikgeschichte, sind sie doch wirkliche Miniaturen und keine Attrappen, die möglicherweise von Instrumentenbauern hergestellt wurden. Sie berücksichtigen die Funktion jeder einzelnen Klappe, jedes Ventils und jedes Griffloches. Den originalen Instrumenten entsprechen auch die Materialien, aus denen sie gebaut sind: Holz oder Messing mit Beinmundstücken und Schildpattverzierungen. Die Gesichter der einzelnen Bläser sind der Art der Tonerzeugung eines jeden Instrumentes angepaßt, die Finger schließen sich glaubhaft um die Instrumentenkörper.

Im linken Hof des Palastes und auch unterhalb der Treppe hält sich das orientalische Gefolge der Könige auf. Diener bändigen edle Rosse, andere führen Äffchen und Windhunde an der Leine. Die Kleidung der Orientalen beeindruckt durch die Schönheit der verwendeten Stoffe und Zubehörteile ebenso wie durch den perfekten Schnitt der gefälteten Hosen, der Kaftane und der edelsteinverzierten Turbane bei den Männern und der goldbestickten Seidenroben und der verzierten Tüllschleier bei den Frauen. Friederike Brun schreibt in ihren »Landschaftsstudien von Neapel aus den Jahren 1809/10« über eine Anbetung der Könige in einer neapolitanischen Krippe: »Schöne Sclavinnen umher. Sie sind mit (immer echten) Perlen und Juwelen geschmückt. Unter reichen Gezelten ruhend, werden sie von vielen Sclaven bedient, die alle auf Gold und Silber servieren… Man kann sich die Pracht einzelner Presepios kaum denken. Denn die Familien zeigen ihren angeerbten Reichthum und ihr Geschmeide gar zu gern… Die ausdrucksvolle Anmuth in den Gesichtsbildungen der verschiedenen Nationen ohne alle Caricatur«[39].

Nach der Überlieferung sollen die meisten Figuren der »Palastkrippe« aus dem Besitz König Karls III. von Neapel stammen. Karl III., ab 1734 König beider Sizilien und damit Herrscher auf dem neapolitanischen Thron, war der größte Förderer des Krippenbaus. In seiner königlichen Porzellanmanufaktur Capodimonte vor den Toren der Stadt modellierten die bedeutendsten Porzellankünstler der Zeit die ausdrucksvollen Köpfe der Figuren. Begabte Staffierer gaben ihnen den durchschimmernden Teint der Frauen im Gefolge der Könige oder die runzlige Haut alter Hirten.

Max Schmederer erwarb gegen Ende des vergangenen Jahrhunderts in Neapel auf einer Auktion von Hofbesitz eine beachtliche Zahl großartiger Figuren. Gerade für diese Stücke von überragender künstlerischer Qualität hat er die Szenerie des Marmorpalastes geschaffen.

36 Handschriftliches Protokoll vom 5.12.1903 im Archiv des Bayerischen Nationalmuseums
37 Münchner Neueste Nachrichten vom 15. November 1904
38 Diese und viele andere eigenhändige Skizzen befinden sich im Archiv des Bayerischen Nationalmuseums
39 Hier zitiert nach Georg Hager, wie Anm. 17, S. 104

112 Rundkrippe mit Verkündigung an die Hirten, Anbetung und volkstümlichen Szenen

Figuren von verschiedenen neapolitanischen
Meistern
2. Hälfte 18. Jahrhundert
Köpfe Terracotta, gefaßt. Gliedmaßen Holz, gefaßt
Textile Bekleidung
H der Figuren: ca. 38 cm

Nach dem Vorbild geologischer Formationen in der Umgebung von Neapel entwarf Max Schmederer einen von Grotten unterhöhlten Felsenberg mit einem Plateau, auf dem sich eine römische Tempelruine an die senkrecht emporstrebende Felswand lehnt. Diese Ruinenarchitektur aus Kork und Holz ist noch das Schmederersche Original, der Fels wurde beim Wiederaufbau rekonstruiert. Er ist äußerst realistisch unter Verwendung eines Holzgerüstes mit Kork, Holz und kaschiertem Papier gestaltet. Beim langsamen Umwandern der Rundkrippe, die einen Durchmesser von nahezu drei Metern und eine Höhe von etwa zwei Metern aufweist, erlebt der Betrachter drei Szenen der Weihnachtsgeschichte und des neapolitanischen Volkslebens mit: An der der Tempelruine gegenüberliegenden Seite des Berges schrecken Hirten aus dem Schlaf auf und wenden sich geblendet dem Verkündigungsengel über ihnen zu. Sie erheben sich und bilden einen Zug, dem sich unterwegs andere Personen anschließen. Alle kommen auf dem Weg zur Geburtshöhle an ländlichen Szenen vorbei: In einer Osteria wird gegessen und getrunken, der Wirt bringt einen Spieß mit gebratenen Hühnern, die Gäste verzehren Spaghetti, es wird gesungen und gelacht. Unter den Tischen treiben sich Hühner und Ferkel herum und suchen nach Abfällen. Auch aus diesen Gruppen feiernder und schmausender Menschen schließen sich einzelne dem Zug der Hirten an. Endlich – im vollständigen Umwandern der Rundkrippe – steht der Betrachter vor der Hauptszene, der Anbetung des neugeborenen Kindes. In der Grotte zeigt Maria den Jesusknaben, der auf einer Windel liegt, Joseph weist auf das Kind hin. Die Hirten und das anbetende Volk kommen die Stufen herauf. Sie bringen Geschenke wie Lämmer und Tauben, Früchte und Eier. Über der Heiligen Familie schweben Kinderputten in jubelnder und anbetender Haltung. Die Aufstellung der Szenen in einer Landschaftsgestaltung, die vom Beschauer umwandert werden kann, geht auf eine Idee von Max Schmederer zurück. So, wie die Hirten aufbrechen, so soll sich auch der Betrachter innerlich auf den Weg machen zum Jesuskind. Über den Weg zum Stall heißt es bei Lukas 2,15 »transeamus usque Bethlehem et videamus...«. Diese Aufforderung »laßt uns nach Bethlehem gehen« läßt den Pfad zur Krippe zum Weg des Heils werden. Im langsamen Umschreiten erfährt der Beschauer etwas von diesem Weg und von der Ankunft vor der Geburtshöhle mit dem Jesuskind.

Die Figuren der Rundkrippe hat Max Schmederer im Jahr 1895 vom neapolitanischen Antiquar Carlo Varelli für 15.000 Lire gekauft; dieser hatte sie von dem Geistlichen Domenico Sdanghi, beziehungsweise dessen Neffen erworben.

117 Hauskrippe mit Anbetung der Hirten

Giuseppe Sammartino zugeschrieben
Neapel, Mitte 18. Jahrhundert
Terracotta, farbig gefaßt
Kasten Holz, gefaßt, Hintergrund gemalt
H des Kastens: 73 cm. H der Figuren: bis ca. 29 cm

Der schlichte hölzerne Kasten umschließt eine kleine Welt: Aus natürlichen Zweigen, Ästchen und getrockneten Blättern ist der Hintergrund geschaffen für eine sehr intime Darstellung des Heilsgeschehens. Das nackte Jesuskind liegt auf einer weißen Windel im Mittelpunkt, alle anderen Personen neigen sich ihm zu. Der kleine Hirtenjunge links schmiegt sich an den Fels, die junge Frau rechts hebt ihren eigenen Sohn dem göttlichen Kind zur Betrachtung entgegen, der Hirte vorne ist in tiefer Verehrung auf die Knie gesunken. Sein Geschenk an die Heilige Familie,

das an den Beinen gebundene Lamm, schließt die Gruppe der Anbetenden nach vorne ab. Die bewegte Figur des heiligen Joseph überragt die Gruppe. Sein lockiges Haupt bildet die Spitze eines gedachten Dreiecks, in das die gesamte Kompostion einbeschrieben ist. Seine Bewegung setzt sich fort im leicht zur Mitte geneigten Körper der Maria, die ihre Hände betend gefaltet ihrem Kind zuneigt. Auf ihrem Gesicht liegt ein Lächeln.

Giuseppe Sammartino hat hier die neapolitanische Tradition der mit Textilien bekleideten Figuren mit Terracottaköpfen durchbrochen und auf die im 17. Jahrhundert geübte Technik der gänzlich modellierten Figuren zurückgegriffen. Er hat die gesamte Komposition in nur wenigen, sehr zurückhaltenden Farben gefaßt – in Weiß, Blau, Braun und der Farbe des Inkarnats – und damit die in sich geschlossene Stimmung der sehr privaten Krippenszene noch einmal unterstrichen.

Farbabbildung Seite 2

Krippen aus Sizilien

130 Der Bethlehemitische Kindermord

Giovanni Antonio Matera (1653–1718)
zugeschrieben
Figuren Holz, geschnitzt, kaschiert und farbig gefaßt
Nackte Knäblein geschnitzt und gefaßt
Trapani in Sizilien, um 1700
H der Figuren: ca. 28 cm
Bauten (wohl München), frühes 19. Jahrhundert

Es gibt nur wenige Krippen, in denen der Kindermord zu Bethlehem als eigene Szene gezeigt werden konnte. Zumeist begnügte man sich mit der weit weniger dramatischen Darstellung der Flucht nach Ägypten und vermied es, den grausamen Anlaß dazu zu zeigen. Aus Sizilien jedoch sind höchst qualitätvolle Figuren für diese Szene erhalten, die Giovanni Antonio Matera zugeschrieben werden. Sie sind in der typischen Technik sizilianischer Figuren angefertigt: Nur die Köpfe und die Gliedmaßen sind aus Lindenholz sorgfältig durchgeschnitzt, die Körper der Figuren lediglich grob angedeutet. Die Bekleidung entstand in der Technik des Kaschierens. Dazu wurden Stücke feinen Leinens in angewärmtes Leimwasser getaucht, das mit Kreide gesättigt war. In einem sehr flotten Arbeitsgang konnte der Stoff im warmen und formbaren Zustand auf der Figur zu einem ganz natürlich wirkenden Faltenwurf geformt werden; rasches und routiniertes Arbeiten war Voraussetzung für ein überzeugendes Ergebnis, denn der Stoff erkaltete und erhärtete sehr schnell. Nach dem Trocknen der Textilteile konnten diese zusammen mit den Holzteilen farbig gefaßt werden.
In fast übertriebenem Realismus zeigen die Figurengruppen die Grausamkeit des Geschehens: Die Soldaten stürmen, teils hoch zu Roß, heran, stürzen sich auf die verzweifelten Mütter und entwinden ihnen die Söhnchen. Die Frauen werfen sich schützend über die Knaben oder versuchen, noch in letzter Sekunde mit ihnen zu fliehen. Die Soldaten halten sie an den Haaren fest und durchbohren die geraubten Kinder mit ihren Schwertern oder schleudern sie zu Boden. Manche Mütter sind der Ohnmacht nahe, andere versuchen, sich in Verzweiflung selbst zu töten. Ver-

gegenwärtigt man sich, daß diese Szene, wie ursprünglich alle Krippen, durch flackerndes Kerzenlicht beleuchtet wurde, kann man sich den tiefen Eindruck auf die damaligen Beschauer vorstellen.
Großartig ist, jenseits aller Grausamkeit der Darstellung, die Komposition der einzelnen Figurengruppen, die hervorragende Werke der Kleinplastik sind. Giovanni Antonio Matera aus Trapani, der aber wohl einen erheblichen Teil seines Lebens in Palermo verbrachte, gilt als der bedeutendste Krippenkünstler in Sizilien. Ihm werden die schönsten kaschierten Figuren zugeschrieben, er wird als großer Künstler in dieser Technik beschrieben, doch sind kaum greifbare Daten aus seinem Leben und Wirken bekannt.

Katalog

Vorläufer und Wurzeln
der Weihnachtskrippe

Bilder zur Weihnachtsgeschichte

1 Maria im Wochenbett

Terracotta, ungefaßt
Bayerisch-Schwaben, um 1480
H: 68, B: 81, T: 29 cm
Inv.-Nr. MA 1084

Maria thront auf dekorativ geschnürten Kissen in einem mit Maßwerk verzierten, hohen Bett. Sie hält mit ihrer linken Hand den aufrecht sitzenden Jesusknaben, der zu ihr aufblickt. In seiner Linken hält er ein Täubchen.
Am Ende des 15. Jahrhunderts werden Darstellungen der Heiligen Familie zunehmend menschlicher. Maria wird nun nicht mehr so häufig auf dem Thron sitzend dargestellt mit dem jugendlichen Welterlöser hieratisch streng auf ihrem Schoß. Das zunehmende Interesse an den göttlichen Personen erschloß neue Themenkreise, wie etwa das Bild der jungen Mutter Maria mit dem Jesusknaben in liebevoller Mutter-Kind-Beziehung. Diese allmähliche geistige Annäherung der Gläubigen an die göttlichen und die heiligen Personen ist eine wichtige Voraussetzung für die Entstehung der Weihnachtskrippe, die ein inniges Vertrautsein mit der Geschichte der Menschwerdung Christi voraussetzt.

2 Maria, Joseph und ein Hirte
aus einer Anbetungsgruppe

Holz, originale Fassung
Aus der Gegend von Altötting, um 1620
H: bis 47 cm
Inv.-Nr. R 8501-8503

Aus einer vielfigurigen Weihnachtsszene haben sich
lediglich drei Figuren erhalten: Maria, die sich dem
nicht mehr vorhandenen Jesuskind zuwendet, ein
alter, kniender Mann, wahrscheinlich der hl. Joseph,
und ein junger, auf einem Knie verharrender Mann,
vielleicht der jüngste der Könige oder ein Page aus
seinem Gefolge. In der Zeit um 1600 gab es im
bayerischen Raum, anders als in Italien, noch keine
Krippen im eigentlichen Sinn. Man kann sich diese
qualitätvollen Figuren aber in einem Altar mit dem
Weihnachtsthema vorstellen.

3 Anbetung der Könige

Altarrelief
Lindenholz, farbig gefaßt
Bayerisch-Schwaben, um 1480
H: 120, B: 129 cm
Inv.-Nr. MA 1239

Bis zum Ende des 15. Jahrhunderts gibt es Darstellungen des Weihnachtsgeschehens nur als Gemälde
oder Relief in einem Altar. Meist wurde die Anbetung
der hl. Drei Könige gezeigt – die Huldigung des
Jesuskindes durch die Mächtigen der Welt. Auf diesem Relief sitzt Maria rechts mit dem nackten Kind
auf ihrem Schoß, Josephs Kopf erscheint in einem
Fenster des Stalles, die beiden Tiere sind unverhält-
nismäßig klein unter dem Stalldach zu sehen. Von
links kommen die Könige heran: Der älteste bietet
dem Knaben ein Kästchen mit Gold; er hat seine
Krone demütig abgelegt. Der mittlere trägt ein Goldgefäß, das wohl Weihrauch enthält. Der jüngste, der
Mohr, der immer am weitesten vom Jesuskind entfernt ist, hat seine Arme und Hände und damit seine
Gabe verloren; es wäre die Myrrhe gewesen. Die Drei
Könige stehen nach überlieferten Interpretationen
nicht nur für die drei damals bekannten Erdteile,
sondern auch für die drei Lebensalter Jüngling, Mann
und Greis. Mit dem Weihrauch ehrten sie in dem
kleinen Knaben den Gott, mit dem Gold den Herrscher und mit der Myrrhe den sterblichen Menschen.

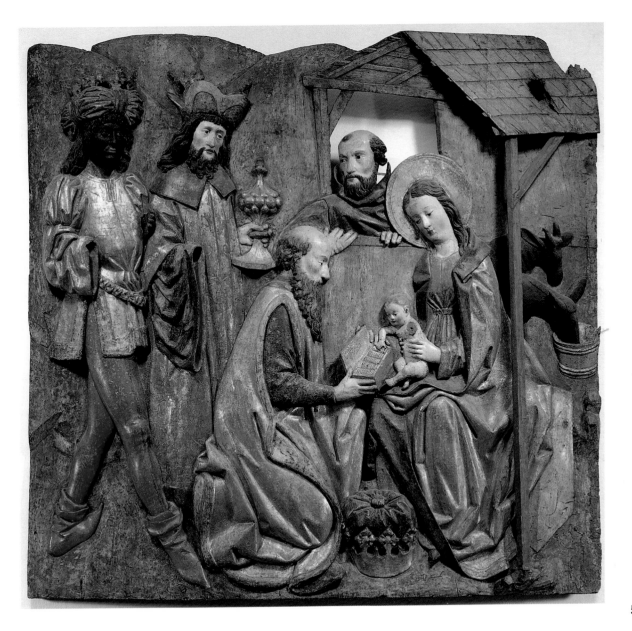

4 Anbetende Maria aus einer Darstellung der Geburt Christi

Stuck, vollrund ausgearbeitet, alte Fassung
teilweise erneuert
Hände und Teil des rechten Unterarmes sowie
linker Arm bis zur Hälfte des Oberarmes alt ergänzt
Toskana, um 1460
H: 47,2 cm
Inv.-Nr. 62/24

Als besonders frühes Beispiel einer vollplastischen
Krippenfigur ist die anbetende Maria eine wichtige
Inkunabel der italienischen Krippenkunst. Nur noch
wenige erhaltene Beispiele aus dieser Zeit überliefern
eine Vorstellung von dem ursprünglichen komposi-
tionellen Zusammenhang und von der Raumgestal-
tung der ersten Krippen. Doch läßt sich aus der
Haltung der Figur ablesen, wie sie sich ursprünglich
dem vor ihr liegenden Jesuskind zugewendet hat.

5 Anbetung der Könige

Dreiteilige Skulpturengruppe aus einem Altar (?)
Lindenholz mit Resten farbiger Fassung
Aus der Dorfkapelle von Senkendorf
(Landkreis Kemnath, Oberpfalz)
um 1480/90
H: Maria: 68 cm, Mohrenkönig: 89 cm
Doppelfigurengruppe: 93 cm
Inv.-Nr. MA 4183

Die vollplastischen Figuren aus der Szene einer Anbetung der Könige stammen aus dem Ende des 15.
Jahrhunderts. Maria hält auf ihrem Schoß den Jesusknaben, der sich lebhaft dem vor ihm knienden älte-
sten König zuwendet. Dieser reicht ihm ein Behältnis
mit Goldstücken. Hinter ihm steht der König mittleren Alters. Er nimmt gerade in Ehrfurcht seine Kopf-
bedeckung ab und hält mit der anderen Hand sein
Geschenk, ein ehemals sicher vergoldetes Gefäß. Der
junge Mohrenkönig trägt eine Art Turban und über
engen Beinlingen ein schenkelkurzes Gewand; sein
Geschenk ist in einem hornförmigen Gefäß verborgen.

6 Krippe

Anton Hiller
München, 1967–1970
Bronzeguß
H der Figuren: 6 – 32,5 cm
Granitplatte B: 66,5, T: 8,3 cm
Inv.-Nr. 73/86

Die beiden zentralen Figuren sind aus stereometrischen Elementen – schräg, vertikal und horizontal zusammengefügten Kuben – so aufgebaut, daß sie das Wesentliche einer menschlichen Gestalt erahnen lassen. In der mittleren Figur rechts läßt sich ein femininer, in der linken ein maskuliner Charakter erkennen. Bei den anderen, hochgereckten Figuren entstehen nur durch eine Gürtelzone und eine Verbreiterung nach oben anthropomorphe Züge. Anhand des von Anton Hiller selbst festgelegten Aufstellungsplans dieser eigentlich frei beweglichen Figuren läßt sich ein wesentliches Moment der Erscheinungsformen abendländischer Krippen nachvollziehen.

7 Segnendes Christkind

Lindenholz mit Resten ursprünglicher Fassung
Süddeutschland, (Schwaben ?), um 1330/40
H: 48,5 cm
Inv.-Nr. 29/317

Auf einer einfachen Bank mit prallem Kissen sitzt, streng frontal dem Betrachter zugewendet, der Jesusknabe in einem langen Hemdgewand. Sein Kopf mit den dunklen Locken ist leicht seitwärts gewendet, sein Gesichtsausdruck wird von dem feinen Lächeln der vollen Lippen bestimmt. Die rechte Hand ist zum Segnen erhoben. Der linke Unterarm ist verloren, sodaß seine ursprüngliche Haltung heute nicht mehr erkennbar ist.
Jesuskindfiguren dienten vor allem in Frauenklöstern der privaten Andacht und der gedanklichen Hinwendung zum göttlichen Kind.

8 Nachbildung des Jesuskind-Gnadenbildes von Altenhohenau

Wachsbossierung in textiler Bekleidung,
verziert mit Ornamenten in Bouillondraht
mit Glassteinen und Metallspitzen
Oberbayern, um 1750
H: 17,5 cm
Inv.- Nr. Kr.K 673

Von 1750 bis zur Säkularisation war Altenhohenau bei Wasserburg am Inn die bedeutendste Jesuskind-Wallfahrt in Oberbayern. Das Gnadenbild ist ein 9 cm hohes, geschnitztes Figürchen aus der Zeit um 1720/30, auf einem reich ornamentierten Sockel. Das Jesuskind trägt eine österreichische Krone, seine Rechte hält ein Szepter, die Linke das Kreuz. Die Altenhohenauer Dominikanerinnen begannen bald nach dem Aufblühen der Wallfahrt mit der Anfertigung kunstvoller Kopien ihres Jesuleins, die weite Verbreitung als private Andachtsbilder fanden.

9 Stehendes Christkind

Holzskulptur mit beweglichen Armen
Farbige Fassung und textile Bekleidung ursprünglich
Spanien, um 1600
Ornamentierter Sockel wohl süddeutsch
H (ohne Sockel): 36,5 cm
Inv.-Nr. 41/301

Auf einem schwarzen, profilierten Sockel steht der Jesusknabe und wendet sich dem Betrachter zu. Sein üppiges Lockenhaar, das in aufgemalten goldenen Strähnen auf der Stirn ausläuft, umrahmt ein pausbäckiges Gesicht mit großen, weit geöffneten Augen, einer kleinen Nase und vollen Lippen. Hände und Füße zeigen kindliche Züge, das rechte Händchen ist zum Segensgestus geformt. Bekleidet ist der Jesusknabe mit einem feinen, am Hals gerüschten Hemd und einem Obergewand aus Seidenbrokat, das vorne mit einem Seidenband zusammengehalten ist. Dieser Verschluß weist deutlich darauf hin, daß die Figur zu den verschiedenen Festzeiten der Kirche unterschiedlich bekleidet wurde. Die Verschnürung erleichterte das Umkleiden.

10 Thronendes Jesuskind

Gliederpuppe, farbig gefaßt und bekleidet
Schmuck aus Bouillondraht
Thron goldfarben gefaßt
Süddeutschland, 18. Jahrhundert
Thron Ende 17. Jahrhundert
H: 32,5 cm
Inv.-Nr. 13/1409

Auf einem goldenen Thronsessel sitzt der als Gliederpuppe gestaltete Jesusknabe. Sein kindliches Köpf-
chen wird von einer Perücke aus echtem Haar umrahmt, auf welcher eine Krone aus Metalldraht sitzt.
Am Hinterkopf ist ein Nimbus aus Messingblech
befestigt. Der Knabe ist mit einem Seidenbrokatge-
wand bekleidet.
Thronende Jesusknaben fanden sich im 18. Jahrhundert in den Zellen vieler Nonnen. Sie hatten diese
»Trösterlein«, die ihnen beim Eintritt ins Kloster den
Abschied von Eltern und Geschwistern erleichtern
sollten, von ihrer Familie bekommen und bezogen
sie in den alltäglichen Ablauf des Klosterlebens ein.
Als »Himmlischer Bräutigam« sollte der Jesusknabe
aber auch auf die mystische Vermählung der jungen
Novizin mit Christus bei ihrem Eintritt ins Kloster
hinweisen.

11 Flügelaltärchen mit Darstellungen aus dem Marienleben

Lindenholz, ursprüngliche Fassung nur noch
teilweise erhalten
Südtirol, um 1500
Aus dem Kloster Frauenwörth im Chiemsee
Schrein H: 74, B: 55 cm
Inv.-Nr. MA 1948

Das kleine Altärchen weist alle Merkmale großer
Kirchenaltäre seiner Zeit auf. Auf der Mitteltafel ist,
den Blick vollständig auf sich ziehend, vor gemaltem
Hintergrund die anbetend kniende Maria gezeigt.
Auf ihrem am Boden ausgebreiteten, dunkelblauen
Mantel lag ursprünglich das später verlorene Jesuskind. Diese Darstellung geht auf eine Vision der hl.
Birgitta von Schweden zurück: Sie erlebte bei ihrem
Besuch der Geburtskirche in Bethlehem die Ereignisse der heiligen Nacht und schrieb sie nieder. Danach
bettete Maria den neugeborenen Knaben erst später
in die Krippe – zunächst lag er nackt und bloß auf
ihrem Mantel. Der hl. Joseph steht hier, in viel kleinerem Maßstab dargestellt, hinter Maria, zwei Engel
beten das Kind an. Auf den Flügeln sind Szenen aus
dem Marienleben dargestellt: rechts unten Maria als
Tempeljungfrau, links unten ihre Verlobung mit Joseph, rechts oben die stillende Muttergottes, links
oben die Anbetung der hl. Drei Könige. Die Flügel-
rückseiten tragen Gemälde der Verkündigung und
der Begegnung zwischen Maria und ihrer Base Elisabeth, wobei ihre noch ungeborenen Kinder – Jesus
im Strahlenkranz und Johannes in kniender Haltung
– auf die gebauschten Gewänder der beiden Frauen
aufgemalt sind.
Die Gemälde stammen von Simon von Taisten, einem
Pustertaler Maler aus der Pachernachfolge.

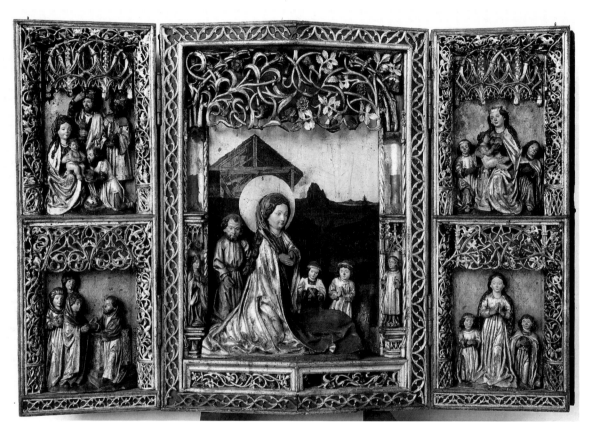

Kat. Nr. 11

12 Liegendes Jesuskind in reichgeschnitztem Kästchen

Jesuskind aus Elfenbein geschnitzt
München (?), Simon Troger (1683–1768) zugeschrieben
L: 11,8 cm
Geschnitztes und vergoldetes Gehäuse süddeutsch, Mitte 18. Jahrhundert
H: 30, B: 24,5, T: 19 cm
Inv.-Nr. R 5211

Wahrscheinlich als Altarschmuck dienten Christkind-Kästchen wie dieses reich geschnitzte, vergoldete Rokokogehäuse, das an drei Seiten verglast, an der inneren Rückwand aber mit einem Spiegel versehen ist. Darin liegt, auf roten Samtpolstern, ein aus Elfenbein fein geschnitztes Jesuskind.

13 Wiege mit wächsernem Jesuskind

Wiege: Holz mit farbiger Fassung
Süddeutschland, 1585
Wiege H: 28,5, L: 46, B: 38 cm
Gestell H: 36, L: 54, B: 35 cm
Jesuskind: Lindenholz, farbig gefaßt
Süddeutschland, 18. Jahrhundert
L: 40 cm
Inv.-Nr. R 1688

Die nach beiden Seiten ausschwingende Wiege ist in ein Gestell aus gedrechselten Stäben eingehängt. Die Außenseiten zeigen auf Goldgrund schwarz gezeichnete Rollwerkkartuschen mit farbig gehaltenen Szenen aus dem Leben Jesu: Geburt, Verkündigung an die Hirten, Anbetung der Könige und Beschneidung. An den Stirnseiten das Christusmonogramm IHS mit Kreuz, Herz und drei Nägeln als Hinweis auf die Passion und vorne der Davidstern mit der nur noch schwach erkennbaren Datierung 1585.
Das wächserne Jesulein im Typus des Fatschenkindes, also des gewickelten Kindes, hat eingesetzte Glasaugen und echtes Lockenhaar. Als Wickelbänder dienen Klöppelspitzen in Weiß und Gold.

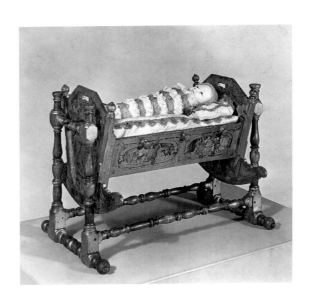

14 Christkindwiege

Eichenbrettchen, bemalt
Vielleicht Köln, um 1340/60
H: 27, B: 10,5, L: 13 cm. Gestell: 32 cm lang
Inv.-Nr. MA 2399

Der Wiegenkasten mit bekrönenden Fialen ist mit
Drahtringen in ein bemaltes Gestell beweglich eingehängt. Das Innere der Wiege und die untere Boden-
fläche sind grün bemalt. Die Außenseiten zeigen auf
gemustertem Goldgrund unter Säulenarchitektur an
den Längsseiten zwei, an den Schmalseiten je einen
anbetenden Engel. Sie tragen faltenreiche, rote oder
blaue Gewänder und haben schattierte, weitausge-
breitete Flügel. Über den Arkadenbögen sitzen jeweils farbige Dreipaßblüten.
Die bemalten Brettchen, aus denen die Christkindwiege vermutlich gegen Ende des 15. Jahrhunderts
zusammengefügt wurde, waren zu dieser Zeit schon
mehr als ein Jahrhundert alt. Sie stammen ursprüng-

lich aus einem anderen Zusammenhang, möglicherweise aus einer Altarpredella. Die Zweitverwendung
als Wiege für eine Jesuskindfigur zeigt die hohe Wert-
schätzung, die man den Brettchen mit der Darstellung der knienden Engel entgegenbrachte.
Die Christkindwiege kam 1859 als Teil der Schenkung von Martin von Reider, Bamberg, ins Museum.

15 Jesuskind, das Kreuz betrachtend

Terracotta, farbig gefaßt (Kreuz ergänzt)
Neapel, 1. Hälfte 18. Jahrhundert
H: 21,2, L: 39,2 cm
Inv.-Nr. 66/216

Wie die meisten Krippenfiguren aus Neapel, wurde
auch dieses Jesuskind aus Terracotta geformt, gebrannt, anschließend farbig gefaßt und ein weiteres
Mal gebrannt. Dann erst konnten seine so lebendig
wirkenden Glasaugen eingesetzt werden. Der Knabe
liegt auf seiner linken Seite und stützt sich mit seinen
dicklichen Kinderhänden ab. Er betrachtet versonnen
das Kreuz, auf dem er teilweise liegt. Das Motiv des
auf dem Kreuz liegenden Jesuskindes ist im 18. Jahrhundert auch in Süddeutschland in der Hinterglasmalerei, im kleinen Andachtsbild und in der Möbel-
malerei sehr verbreitet gewesen. Es soll darauf
hinweisen, daß Jesus bereits als Kind um die späteren
Ereignisse der Passion wußte.

16 Krippenkästchen

Wohl Berchtesgaden, Ende 18. Jahrhundert
H: 62,5, B: 58, T: 36 cm
Inv.-Nr. R 5781

Im Gegensatz zu den Szenen mit frei beweglichen Figuren hat in den Krippenkästen jede Figur vom Künstler ihren festen Platz in der Gesamtkomposition erhalten. Der Schöpfer dieses Kastens hat durch die Verwendung natürlicher Materialien einen Mikrokosmos geschaffen, in dem sich mit der Geburt Christi das Heilsgeschehen exemplarisch abspielt. Der grottenartig gestaltete Berg ist aus Ästen gebildet, mit Papier und Stoff kaschiert und beklebt mit Glas- und Steinstaub, Stroh, Muscheln und Schneckenhäusern, mit Glasröhrchen, Glimmer und Leuchtkäfern, mit Federn, Spiegelscherben, mit Moos und Farn. Die feinen, farbig gefaßten Figürchen sind aus Holz geschnitzt, ebenso die Stadtansicht oben, die Bethlehem darstellt.

17 Anbetung der Hirten

Johann Baptist Cetto, Tittmoning, um 1725
Wachs und andere Materialien
H: 11,2, B: 15,3 cm
Rahmen H: 22,4, B: 26,6 cm
Inv.-Nr. 30/360

Im oberbayerischen Tittmoning war die Wachsbossiererfamilie Cetto, die ursprünglich aus Italien stammte, ansässig. Johann Baptist, gestorben 1738, verfertigte wahre Wunderwerke in kleinstem Format. Mit Figuren, aufgezogen auf Schweineborsten und modelliert aus einer Masse aus Wachs und Collophonium oder Hausenblasenleim (aus der Blase des Hausenfisches gewonnen), stellte er auf engstem Raum Szenen aus der Geschichte und Themen aus der Bibel dar. Die Anbetungsszene ist hier in die linke Bildecke gerückt, von rechts kommen weitere Hirten durch eine zerklüftete Landschaft heran. Im Hintergrund wandert der Blick über einen Tempel, über Städte, Seen und Berge zur aufgehenden Sonne.

18 Kastenkrippe mit Anbetung der Könige

Figuren, Architektur und Kasten
aus Holz geschnitzt und farbig gefaßt
Oberammergau, frühes 19. Jahrhundert
H: 29,8, B: 33,2 cm
Inv.-Nr. 34/2188

In ein kleines, marmoriertes Kästchen eingeschlossen
ist diese Anbetung der Könige in der sehr schlichten
Art Oberammergauer Ware, die in großen Stückzahlen
hergestellt wurde. Vor einer rot, blau und gelb
gefaßten Felsenarchitektur erscheint der leuchtende
Stern von Bethlehem über der Figurengruppe. Maria
kniet in der Mitte, vor ihr liegt das Kind; Joseph steht
mit gefalteten Händen dahinter. Dicht gedrängt nähern sich die hl. Drei Könige von links; ihre Kleider
und Turbane sind in Gold und leuchtenden Farben
gefaßt. Metalldrahtblumen mit Glasperlen und drei
Puttenköpfchen ergänzen das Ensemble.

19 Anbetung der Hirten

Materialbild im Kastenrahmen
Augsburg, um 1730
H: 24,3, B: 33 cm
Inv.-Nr. 65/22

Als Collage aus verschiedenen Materialien ist die
Szene der Anbetung der Hirten in einen flachen
Rahmen hineinkomponiert. Links unter dem Stroh-
dach des Stalles von Bethlehem kniet Maria, gekleidet
wie eine Fürstin des Rokoko. Auch Joseph trägt hier
ein prächtiges, reich verziertes Gewand. Das besonders kleine Jesuskind ist auf Pergament gemalt und
aufgeklebt. In derselben Technik sind auch die Gesichter und Hände der anderen Figuren gestaltet.
Drei Hirten in ebenfalls recht reicher Kleidung nähern sich von rechts. Kunstvoll ist das Laub der
Bäume gearbeitet, das durch die Schattenbildung
sehr plastisch wirkt.

20 Kastenkrippe mit Anbetung der Könige

Figuren aus Wachs bossiert,
Tiere geschnitzt und farbig gefaßt
Bodenseegebiet, Mitte 19. Jahrhundert
Figuren H: ca. 6–12 cm
Kasten H: 54, B: 51 cm
Inv.-Nr. 76/55

Der im Grundriß sechseckige, rot und gold gefaßte
Kasten dieser Krippe ruht auf Kugelfüßen und trägt
eine reich geschnitzte, vergoldete Bekrönung. In der
Mitte des Ensembles ist ein kleiner Stall aus Pappe zu
sehen mit dem Stern von Bethlehem, darüber die
Stadtansicht, ebenfalls auf Papier gemalt. Die Figuren
sind aus Wachs modelliert und mit Textilien bekleidet. Außer den anbetenden Königen sind rechts und
links Frauen in ländlicher Kleidung, ein Jäger und
drei Soldaten zu sehen. Vorne steht zu beiden Seiten je ein aus Ton geformtes Kamel als Reittier der
Könige.

21 Bethlehem mit Anbetung der Könige

Lindenholz, ohne Fassung
München, 19. Jahrhundert
H: 9 cm
Inv.-Nr. Krippe 723 mit 729

Auf einem schwarzen, profilierten Holzsockel mit
abgeschrägten Ecken sind die feinen Schnitzfigür-
chen fest montiert. In der Mitte sitzt Maria mit dem
segnenden Jesusknaben auf ihrem Schoß. Hinter ihr
steht Joseph im faltenreichen Gewand, auf einen
Stock gestützt. Nur in Rückenansicht zu sehen sind
der älteste kniende König und der mittlere mit Turban und Krone. Zwischen beiden steht ein Kelch und
auf einem quastenverzierten Kissen ein Behältnis in
der Form eines Reliquienschreins. Rechts präsentiert
der junge Mohrenkönig eine geöffnete Schatulle.

22 Bethlehem mit Anbetung der Hirten

Gegenstück zu Kat. Nr. 21
H: 9,8 cm
Inv.-Nr. Krippe 718 mit 722

Die Figuren der Hirtenanbetung scharen sich um
eine relativ große Futterkrippe, in der auf Heu und
Windeln das zarte Jesuskind liegt. Maria kniet rechts,
Joseph steht betend dahinter. Auf der linken Seite die
Hirten: Ganz hinten einer mit einem Schaf auf dem
Arm, davor ein älterer, der sich etwas abwendet, dazu
ein betender Knabe. Ganz vorne ein kniender Hirte
mit abgelegter Mütze.
Die Figurengruppen halten sich in der Komposition
wie auch im Faltenstil und der Behandlung der äu-
ßerst fein ausgeführten Gesichter an spätgotische
Vorbilder.

Kat. Nr. 21

Kat Nr. 22

23 Bethlehem aus Bernstein

Nordostdeutschland (?), um 1650
H: 9,5 cm
Inv.-Nr. 67/59

Aus einem etwa faustgroßen Stück Bernstein wurden
die zentralen Personen einer Anbetungsszene
herausgearbeitet: Maria in der Mitte, wie sie die
Windel unter dem Jesuskind glattzieht und den Knaben dabei anblickt; darüber der betende Joseph. Hinter ihm nähert sich ein Hirte, drei weitere drängen
sich von links heran. Mitten unter ihnen erkennt man
die Köpfe von Ochs und Esel. Diese Darstellung
entspricht sehr genau der Definition des »Bethlehem«: Aus kostbarem Material wurde auf kunstvolle
Weise eine Szene aus der Weihnachtsgeschichte herausgearbeitet. Sie hat kleines Format und eine unveränderbare Gesamtkomposition.

24 Anbetungsgruppe

Abraham Lotter d. J. (1582–1628)
Augsburg, um 1620
Augsburger Beschau und Meistermarke AL
Silber getrieben; Figuren gegossen und
teilvergoldet
H: 19,3, B: 18,2 cm
Inv.-Nr. 30/270
Ausführliche Beschreibung siehe Seite 20

25 Relief der Geburt Christi mit Anbetung der Hirten

Elfenbein auf Schildpatt und Lindenholz
München, um 1700
H: 31,5, B: 28,5 cm
Inv.-Nr. R 4467

Als geschlossene Figurengruppe links vorne erscheint Maria, die den Knaben auf einer Windel zeigt, hinter ihr Joseph, den Esel fütternd und ein junger Hirte, der seinen Hut grüßend lüftet. Von rechts kommen weitere Hirten heran und bringen Lämmer und andere Geschenke. Hinter ihnen ist der Ochse zu erkennen. Sehr detailliert ist die Ausstattung des Stalles wiedergegeben: rechts auf Balken und Konsolen zwei geflochtene Körbe, ein Salzfaß, Krüge und ein Öllicht, links, am Ständer für das schindelbelegte Dach hängend, ein Korb mit den Zimmermannswerkzeugen des hl. Joseph. Das Beil hängt fast bedrohlich über der Gruppe der Heiligen Familie. Über der Szene schweben Putten auf Wolken. Den lebendigen Hintergrund für die monochromen Elfenbeinfiguren bildet geflecktes Schildpatt.

26 Relief der Geburt Christi mit Anbetung der Könige

Gegenstück zu Kat. Nr. 25
Inv.-Nr. R 4472

Auf dunklem Schildpatthintergrund heben sich die detailliert gearbeiteten Relieffiguren dieser Anbetungsszene deutlich ab. Wieder ist die heilige Familie in der linken vorderen Ecke gezeigt, diesmal in einer Palastarchitektur, die durch zwei Säulen angedeutet wird. Die Könige nähern sich von rechts, wobei der jüngste, noch am weitesten vom Jesuskind entfernt stehende König mit dem Weihrauchschiffchen hier nicht eindeutig als Mohr aufgefaßt ist. Hinter ihm, erstaunlich dominant, ein Kamelreiter aus dem Gefolge, davor ein Reiter zu Pferd mit einer Standarte. Ein Knabe steht hinter den Königen in ehrfürchtiger Anbetung des Kindes. Putten sitzen auf Wolken, der Stern strahlt über der Szene.
Der erzählerische Stil und die Detailtreue zeichnen diese beiden Kleinkunstwerke besonders aus. Beide Reliefs sind im Inventar der Kunstkammer der Münchner Residenz von 1778 aufgeführt.

27 Heilige Familie

Umkreis von Giuseppe M. Mazza
Bologna, 1. Hälfte 18. Jahrhundert
Ungefaßter, gebrannter Ton
H: 25 cm
Inv.-Nr. 63/14

In der Art eines Bethlehems ist diese italienische
Tongruppe gestaltet: Sie zeigt lediglich die unmittelbar am Geschehen beteiligten Personen dichtge-
drängt auf engem Raum, unveränderbar in ihrer Zuordnung zueinander. Lebhaft hebt der Jesusknabe
seinen rechten Arm, das wohl ursprünglich segnende
Händchen ist verloren. Er liegt auf einem bankartigen
Felssockel, auf Stroh und ein Tuch gebettet. Dicht
hinter ihm sind die Köpfe der beiden Tiere angedeutet. Maria verharrt in anbetender Haltung neben
ihrem Sohn, Joseph hält in seiner Rechten einen
grünenden und blühenden Stab. Dieser ursprünglich
dürre Stab war nach der Legende bei seiner Verlobung mit der Tempeljungfrau Maria erblüht. Den
rückwärtigen Abschluß für die eng zusammenge-
drängte Gruppe bildet ein fragmentarisches Strahlen-
bündel mit Wölkchen.

28 Kastenkrippe mit Anbetung der Könige

Landschaft mit Grotte aus Papier und Leinwand
kaschiert
Figuren aus Tragant, farbig bemalt
Verglastes Kästchen mit vergoldetem Profilrahmen
Vermutlich aus Aix-en-Provence, um 1780/85
H: 36,4, B: 41,5, T: 24 cm
Inv.-Nr. 60/165

Das südfranzösische Krippenkästchen schließt eine
kleine Welt in sich ein, die gestaltet ist aus Glimmer-
staub und Schneckenhäusern, aus künstlichen Blumen, Spiegelscherben, gläsernen Tieren, aus Papier
und Leinwand. Die Geburt Jesu findet in einer Höhle
statt, Maria aber trägt wie eine Fürstin eine Krone,
Joseph hält eine Lilie in der Hand. Zwischen beiden
blasen Ochs und Esel dem auf Stroh liegenden Kind
Wärme zu. Im Hintergrund der Höhle ist die Futter-
raufe zu erkennen, daneben je eine mit Spiegeln
verschlossene Öffnung. Von rechts treten die drei
Weisen heran: der weißbärtige, kniende König trägt
einen Kelch, derjenige im mittleren Alter einen Pokal,
der Mohrenkönig schwingt ein Weihrauchfaß. Ihnen
schließt sich eine Frau in Tracht mit einer Schüssel
voller Äpfel an. Vor dem Grotteneingang links sitzt

ein Flötenspieler in Jagdkleidung, ein Schäfchen blickt ihn an. Dieser Musikant kommt in den provenzalischen Kleinkrippen ebenso häufig vor wie die Apfelfrau. Über der Höhle schwebt ein Engel mit roten Flügeln und dem Spruchband »Gloria in Excelsis«. Auf einem steilen Weg über der Höhle steigen drei Figuren aus dem Königsgefolge mit Standarten herab. Links oben sitzt ein Jäger mit Flinte, vor ihm ein gefleckter Hund. Zwischen diesen Figuren sind zahlreiche sitzende und fliegende Vögel verteilt, Blumen und Bäume aus Papier füllen die freien Stellen. Die Figuren sind aus Tragant geformt, einer Masse aus Baumharz, vermischt mit Mehl und Wasser, die wegen ihrer Zähigkeit gerne zum Ausformen aus Modeln, aber auch zum freien Modellieren kleiner Figuren verwendet wurde.

29 Figurenkasten mit Anbetung der Könige

Figuren aus Holz geschnitzt und farbig gefaßt
Berchtesgaden, um 1800
H: 39; B: 29,3; T: 8 cm
Inv.-Nr. Krippe 5545

Im mittleren, ungeteilten Feld ist die Anbetung der Könige mit miniaturhaften Figuren in einer sehr stilisierten Landschaft mit Papierpalmen und einer Höhle aus Baumrinde dargestellt. Darüber finden sich Bilder von der Jagd, darunter eine Heuernte und eine städtische Szene. Unten links und darüber ein Eremit mit einem Esel und ein Wanderer; daneben eine wilde Landschaft mit fremdartigen Tieren. Die Hintergründe sind aus Rinde, Moos, Steinchen und Papier gestaltet, die Figuren aus Holz geschnitzt und farbig gefaßt.
Die Zusammenstellung der Themen in diesem flachen Kästchen, das offensichtlich an die Wand zu hängen war, ist sehr ungewöhnlich.

30 Krippe im Glassturz mit Verkündigung und Anbetung der Hirten

Bossiertes, farbiges Wachs
Salzburg oder Tirol, Anfang 19. Jahrhundert
H: 51, B: 37, T: 25 cm
Inv.-Nr. Kr. K 331

Runde oder querovale Glasstürze auf profilierten Sockeln mit Kugelfüßen waren im 19. Jahrhundert sehr beliebt zur sicheren Aufbewahrung von fein modellierten Wachsfiguren. Meist wurden einzelne Heilige dargestellt. Ungewöhnlich ist daher dieser vielfigurige Krippenberg mit seiner geradezu raffinierten Raumaufteilung. Zuoberst ist Bethlehem als Bekrönung des Berges dargestellt, ein Engel erscheint unmittelbar vor der Stadt. Unter ihm wachen Hirten bei ihren Schafen und blicken nun erschrokken und überrascht zu dem im Strahlenkranz schwebenden Verkünder über ihnen, was trotz ihres kleines Formats ganz deutlich zu erkennen ist. Den größten Teil des Berges nimmt der Stall ein: Ganz traditionell findet man darin Maria und Joseph sowie Ochs und Esel zu beiden Seiten des Kindes in der Krippe. Anbetendes Volk, Hirten und Könige kommen hier nicht als geschlossene Gruppen jeweils von links oder rechts, sondern erscheinen zu beiden Seiten gemischt. Ob es sich dabei noch um die originale Verteilung der Figuren im Glassturz handelt, ist allerdings fraglich. Rechts außen ist ein Eremit in seiner Höhle zu erkennen.

Kat. Nr. 30

Kat. Nr. 31

31 Krippenkästchen

Figuren wohl von der Schnitzerfamilie Probst
Berg teils aus Wurzelteilen, teils mit Glimmer-,
Glas- und Steinstaub auf Papier kaschiert
Gemalter Prospekt. Figuren Holz, farbig gefaßt
Tirol, um 1800
H: 43, B: 64,5, T: 30 cm
Inv.-Nr. 59/268

Die kleine, in ihrem Kasten unveränderbar einge-
schlossene Szene gibt einen guten Eindruck vom
traditionellen Aufbau einer Tiroler Krippe der Zeit
um 1800 wieder. Die Architektur nimmt viel Raum
ein. Es ist kein Stall, keine Höhle, sondern vielmehr
ein stattliches Gebäude. Unmittelbar dahinter und zu
beiden Seiten erhebt sich die steile Felslandschaft mit
einer ruinösen Burg. Hinter einem Zaun geht die
dreidimensionale Gestaltung unvermittelt in den gemalten Hintergrund über, der flott und gekonnt
hingesetzt ist. In der linken oberen Ecke schwebt
ganz klein der Verkündigungsengel; ein winziger
Hirte blickt zu ihm hinauf, seine Schafe sind schon
nicht mehr vollrund, sondern auf die Kulisse gemalt.
Die Zuordnung der winzigen Figuren zueinander
wurde vom Schöpfer des Kästchens festgelegt: Maria
und Joseph mit dem auf einer Windel liegenden
Knaben unter dem breiten Bogen der Architektur, ein
kniender Hirte rechts, vorne je ein herankommender
Hirte und, das Gebäude flankierend und zugleich
bewachend, je ein Engel mit prächtigem, langem
Gewand und goldenen Flügeln.

32 Geburt Christi

Materialbild: Gesichter und Gliedmaßen Papier, bemalt. Gewänder, meist Seide, bemalt. Architektur
ebenfalls Seide, bemalt. Hintergrund auf Karton gemalt.
Salzburg, A. Schneweis 1737
H: 80, B: 63,5 cm
Inv.-Nr. 67/58

Über einer Ruine ist ein improvisiertes Stalldach
angebracht, darunter schaut der Ochse hervor. Maria
kniet vor einer morschen Bretterkrippe, in der das
Jesuskind auf Stroh in einer Windel liegt; hinter ihr
Joseph und der Esel. Von links eilt ein Hirte herbei,
ein anderer mit einem Lamm unter dem Arm kniet
bereits dort. Rechts knien Hirten und Kinder. Aus
dem rechts angedeuteten Dorf eilen Frauen mit Gemüse und Geflügel herbei. Im Himmel schweben
Putten auf Wolken, ein Lichtstrahl fällt herab. Zwei
fliegende Putten in der Mitte halten ein Schriftband
mit der Aufschrift »Gloria in Ex.« Auf der Bildnisplat-
te vor dem Säulenstumpf unten die Signatur »A.
Schneweis fecit A 1737«.

33 Christkind

Holz mit ursprünglicher farbiger Fassung
Inn-Salzach-Gebiet, um 1500
H: 47 cm
Inv.-Nr. 74/133

Das nackte Kind folgt im Darstellungstypus dem bedeutendsten Beispiel dieser Gattung des Andachtsbildes – Michl Erharts Christkind aus Kloster Heggbach (heute im Museum für Kunst und Gewerbe in Hamburg). Es setzt den linken Fuß kräftig nach vorne und neigt sich dabei leicht zurück.Gleichzeitig wendet es sich ein wenig nach rechts, dem Gestus des halb gesenkten linken Armes entsprechend, in dessen Hand die Weltkugel ruht; die Rechte ist im Segensgestus erhoben. Das volle Gesicht wird von kräftigen, durchbrochen gearbeiteten Locken umrahmt.

34 Das Jesuskind als Guter Hirte

Bossierter Wachskopf mit eingesetzten Glasaugen und Haaren aus Wolle. Textile Bekleidung
Aus Groß-Gmain, Mitte 18. Jahrhundert
H: 69 cm
Inv.-Nr. 30/145

Seit der Spätantike ist das Motiv des Guten Hirten als Symbol für Christus bekannt. Im 18. Jahrhundert wurde dieses Bildthema zuweilen auf das Jesuskind übertragen. Die Figur des Guten Hirten hat einen aus Wachs bossierten Kopf mit Wollhaar sowie geschnitzte und farbig gefaßte Hände und Füße. Der Knabe ist mit einem grünseidenen Schäfergewand und einem breit ausladenden Schattenhut bekleidet; die Schäfertasche trägt er umgehängt. Der vergoldete Hirtenstab ist wie ein Attribut aufgefaßt. Das hochspringende Schäfchen zu seiner Seite ist geschnitzt und farbig gefaßt, gehört aber wohl ursprünglich in einen anderen Zusammenhang.

35 Maria in der Hoffnung

Ölgemälde auf Leinwand
Umgebung von Traunstein, 17. Jahrhundert
(1818 renoviert)
H: 188, B: 117 cm
Inv.-Nr. Kr.K 162

Nach dem Bildtypus der Maria gravida in Karlshof bei
Prag ist Maria in der Hoffnung dargestellt, wie sie
über ihrem gesegneten Leib ein Buch hält und darin
liest. Vor ihr picken weiße Tauben Getreidekörner
vom Boden auf. Über Maria öffnet sich ein Lichtloch,
aus dem Engel die Getreidekörner herabwerfen. Das
Bild erläutert einen Bericht aus dem Protoevangeli-
um des Jakobus, in welchem es heißt: »Maria wurde
im Tempel wie eine Taube aufgezogen und empfing
ihre Nahrung aus Gotteshand.«
Die zweizeilige Bildunterschrift lautet: »Meine Sell
machet groß den Herrn: und mein Geist hat gefro-
locket in Gott meinen Heiland./...der Mächtige der
die Demuth seiner Magd angesehen, hat große Dinge
an mir gethan, und sein Nahme ist Heilig.« Rechts
unten wurde eingefügt: »Renonvirt 1818 T. B.«.

36 Weihnachtsbild

Hinterglasmalerei
Sandl, Oberösterreich, um 1820
H: 32; B: 45 cm
Inv.-Nr. 93/978

Ein besonders aufwendiges Beispiel der Sandler Malerei hinter Glas zeigt in der Bildmitte den Stall, der
hier eine Mischung aus Pfeilerarchitektur und Stroh-
dachkonstruktion ist. Ein schwebender Engel auf
einer Wolke hält ein Schriftband mit der Aufschrift
»GLORIA IN EXCELSIS DEO«, wobei nach dem
ersten und vor dem letzten Buchstaben jeweils ein
Abstand für seine festhaltenden Daumen gelassen ist.
Vom Engel geht ein Lichtstrahl direkt in die Heuraufe
im Inneren des Gebäudes, davor erscheinen die Köpfe
von Ochs und Esel. Vorne links kniet Maria in einem
roten Kleid und einem wild bewegten blau-grünen
Mantel, dessen Faltenwurf ganz ornamental gestaltet
ist. Joseph auf der rechten Seite blickt wie Maria auf
das nackte Kind, das auf einem gemauerten Podest
mit Kugelfüßen liegt. Im Vordergrund, viel zu klein
geraten, knien hintereinander aufgereiht die drei Könige und halten dem Kind drei gleiche rote Kästchen
hin. Die Ansicht der Stadt Bethlehem wird hier rechts
außen gezeigt. Links sieht man – wieder in kleinerem
Maßstab – zwei Hirten mit ihren Schafen auf dem
Feld.

Krippen aus dem Alpenraum

51 Zug der hl. Drei Könige

Nordtirol, Mitte 18. Jahrhundert
Vielleicht von einem der Söhne des Bildschnitzers
Andrä Kölle oder von Hans Reindl
Aus einer Klosterkrippe, die bis zum Jahr 1898
dem Stift Stams in Tirol gehörte
H der Figuren: bis 50 cm

Die aus Holz geschnitzte und farbig gefaßte Stadtansicht im Hintergrund dieser Szene stellt Bethlehem dar. Sie hat die für die alpenländische Krippenarchitektur des 18. Jahrhunderts typischen hohen Türme und prächtigen Tore. Im Vordergrund ist »die Reiterei« aufgestellt. So wurde der Königszug in Tiroler Krippen genannt, die Kavalkade der Drei Könige mit Pauker und Trompeter auf schweren und doch feurigen Rossen. Die Tiere sind geschnitzt und farbig gefaßt, die Figuren als Gliederpuppen mit beweglichen Ellbogen und Knien gefertigt und mit kostbaren Textilien bekleidet.

Die Figuren wurden von Geheimrat Dr. Alexander Kreuter, München, anläßlich des hundertjährigen Gründungsjubiläums des Bayerischen Nationalmuseums im Jahr 1955 gestiftet. Aus derselben Krippe kamen die Figuren in den Vitrinen 54, 56, 57 und 59 durch die Schenkung Dr. Kreuter ins Haus.

52/53 Engel und Hirten, die hl. Drei Könige mit ihrem Gefolge sowie Adam und Eva

Aus Isareck-Volkmannsdorf bei Landshut, um 1678
H: bis 30 cm
Kamel und Elefant oberbayerisch, Mitte 18. Jahrhundert
Ausführliche Beschreibung siehe Seite 22/23

54 Engel, Page und Mohrendiener

Aus derselben Krippe wie Nr. 51
H: bis 58 cm

Ebenfalls aus der Stamser Klosterkrippe haben sich einige Figuren erhalten, die hier jedoch nicht in geschlossene Szenen eingegliedert werden können. Die beiden großen Engel links entsprechen ganz dem Typus des barocken Krippenengels mit schenkelkurzem Röckchen zu Riemensandalen, enggeschnürtem Mieder und Krönchen. Die beiden kleinen Engel sind etwas schlichter in der Ausführung. Die Livrée des Pagen in roter Seide mit Goldverschnürung entspricht der um die Mitte des 18. Jahrhunderts üblichen Hoftracht. Die drei Mohrendiener rechts sind ohne ihre ursprüngliche Kleidung erhalten geblieben. Das gibt Gelegenheit, die künstlerische Qualität der Schnitzarbeit zu sehen: die feine Durchgestaltung der Knie und das Muskelspiel der Oberschenkel. In den Ellbogen sind die Kugelgelenke zu erkennen, die verschiedene Stellungen der Arme erlauben. Ausgearbeitet wurden die Figuren lediglich an den sichtbaren Extremitäten. Der Torso ist weder bildhauerisch durchgestaltet, noch mit einer Fassung versehen.

Aus Kat. Nr. 54

55 »Krippenjackl«

Holz, farbig gefaßt. Textile Bekleidung
Laufen an der Salzach, um 1800
H: 44 cm

Der »Krippenjackl«, eine hölzerne Gliederpuppe in südostbayerischer Tracht, hat zwei auswechselbare Köpfe, einen lachenden und einen weinenden. Er kann an freudigen wie an traurigen Ereignissen der Weihnachtsgeschichte teilnehmen. In der Heiligen Nacht und bei der Hochzeit zu Kanaa soll der Jackl in seiner ursprünglichen Umgebung, der großen Krippe in Laufen, fröhlich gewesen sein, wenn die hl. Drei Könige weiterzogen und sich bereits der Kindermord durch Herodes ankündigte, soll er geweint haben.

Der Krippenjackl ist die einzige erhaltene Figur aus einer umfangreichen, vielfigurigen Krippe, welche vermutlich von Vater und Sohn Weißenkirchner geschnitzt wurde. Alle Figuren hatten Kugelgelenke und waren verhältnismäßig groß – bis zu dreissig Zoll, wie es in den Quellen heißt. Besondere Attraktion dieser in der Michaelskapelle neben der Stiftskirche zu Laufen an der Salzach aufgestellten Krippe war die Szene der Hochzeit zu Kanaa mit einer Küche, so groß, »daß ein kleines Leut darin hätte wirtschaften können«[40]. Nach vielen Irrfahrten, die den Krippenjackl in den Bestand anderer Krippen führten und ihn schließlich sogar zur Spielpuppe verkommen ließen, tauchte er im Jahr 1951 wieder auf. Damals wurde ihm die heute noch erhaltene Tracht »um fünfunddreissig gute Mark« auf den Leib geschneidert. Zu dieser Zeit bekam er auch den federkielgestickten Gürtel mit dem großen »K« darauf, das ihn als den eigentlichen Kasperl, den Gegenspieler des Helden, ausweist. Die enge Verbindung zwischen Theater und Krippe wird hier deutlich, wobei jedoch nicht gesichert ist, daß der Krippenjackl schon vor seiner Neueinkleidung einen solchen Gürtel besessen hat.

40 Karl Huttner, Der Laufener Krippenjockel. In: Das Salzfaß 2/1968, S. 66 ff.

Kat. Nr. 55

56 Verkündigung an die Hirten

Aus derselben Krippe wie Nr. 51
Nordtirol, Mitte 18. Jahrhundert
Die Verkündigungsengel vielleicht von einem der
Söhne Andrä Kölles oder von Hans Reindl
Kleidung der Hirten 1. Hälfte 19. Jahrhundert
H: bis 45 cm

Die Hirten in Tiroler Krippen des 18. Jahrhunderts
trugen stets die damals dort übliche Tracht mit knie-
kurzen Hosen, offenen Joppen und breiten Schattenhüten. Sie sind die Vertreter des einfachen Volkes, mit
denen sich die Betrachter der Krippen am liebsten
identifizierten, waren sie es doch, die als erste, lange
vor den Mächtigen der Welt in Gestalt der Könige,
von der Geburt des Heilands erfuhren und ihn auf-
suchten. In den Hirten einer Krippe sich selbst zu
erkennen, konnte den Beschauern umso leichter ge-
lingen, wenn sie dieselbe Kleidung trugen und ihnen
sogar in ihren Physiognomien ähnelten.
Der sitzende Alte mit dem grauen, langen Bart in
dieser Verkündigungsszene stellte ursprünglich vermutlich den segnenden Gottvater dar und war, auf
Wolken schwebend, über dem Stall angebracht. Die
Figur ist später irrtümlich bekleidet und unter die
Hirten eingereiht worden.
Die für die Krippen des mittleren 18. Jahrhunderts
typischen Engel ähneln den Götterboten des barok-
ken Theaters. Sie wirkten in vergleichbarer Bekleidung auch bei der Münchner Fronleichnamsprozes-
sion dieser Zeit mit. Man nannte sie die »Hofengel«,
da der Hof für die kostbare Kleidung der zwölf
Knaben aufkam, die sie darstellten. Sie trugen, genau
wie die Krippenengel, die sogenannten römischen
Schürzeln, jene kurzen, geschlitzten Röckchen, dazu
Ledersandalen und die Herolds- beziehungsweise
Kreuzstäbe in den Händen.

Kat. Nr. 56   Kat. Nr. 57

57 Hoherpriester und hl. Drei Könige mit Gefolge

Aus derselben Krippe wie Nr. 51
H: bis 47 cm

Richtete man sich bei der Bekleidung der Krippenhirten genau nach dem in der Gegend Üblichen, so konnte man bei der Ausstattung der Personen im Königsgefolge der Phantasie Raum geben. Wichtig war vor allem die Fremdartigkeit der Gewänder, die sich in Pracht und Glanz und möglichst reichen Verzierungen zeigte.
Relativ exakt wurde hier die Kleidung des Hohepriesters gestaltet: der zweigehörnte Hut und das sogenannte Amtsschild, das auf die zwölf Stämme Israels verweist. Der Vorstellungskraft ihrer Schöpfer dagegen sind die Gewänder der Pagen und Bediensteten der fremden Höfe aus dem Morgenland entsprungen, die vor allem durch ihr kostbares Material erstaunen.

58 Figuren einer Tiroler Familie

Holzfiguren mit Wachsköpfen
Textile Bekleidung
Tirol, frühes 18. Jahrhundert
H: 29,5 cm

Die aus einer Tiroler Krippe erhalten gebliebene Gruppe einer Familie stellt ein ungewöhnlich frühes Beispiel für Figuren in originaler textiler Bekleidung dar. Sie sind auch für die Trachtenforschung äußerst wertvoll, da sich aus der Zeit kurz nach 1700 kaum originale Trachtenteile erhalten haben. Zeittypisch ist vor allem die Kleidung des kleinen Mädchens, die sich nicht von der Erwachsenen-Tracht unterscheidet. Die Farben der einzelnen Kleidungsstücke sind sehr nachgedunkelt, sie dürften ursprünglich heller und farbiger gewesen sein.

59 Wirt, Hochzeitslader und Spaßmacher aus der Hochzeit von Kanaa, Soldat aus der Szene des Bethlehemitischen Kindermordes

Aus derselben Krippe wie Nr. 51
H: bis 45 cm

Der Hochzeitslader ist an seinem »Zeremonienstab« mit feiner Bouillondrahtverzierung zu erkennen. Seine Kleidung ist prächtig: weiße seidene Hose und Wams mit Metallknöpfen, darüber eine rote Samtjacke mit Goldbortenbesatz und Spitzenmanschetten. Dazu trägt er eine feine Halskrause und einen bortengeschmückten Hut. Auch der Wirt trägt Festtagskleidung: weiße Schürze, Spitzenjabot und -manschetten, rote Weste und blumengeschmückten Hut. Eine dritte Figur gehört zu dieser Hochzeitsszene: ein Verwachsener als Spaßmacher. Er steht ganz in der barocken Tradition der »Zwerge« in ihrer leidvollen Rolle als Unterhalter bei Hofe.

60 Zug der hl. Drei Könige

Drahtfiguren mit Wachsköpfen und textiler Bekleidung
Aus einer Tölzer Krippe, gegen 1800
Elefant mit Thron, drei Pferde und Kamel aus anderen bayerischen Krippen
2. Hälfte 18. Jahrhundert
Hintergrund nach Motiven eines gleichzeitigen Tiroler Krippenkästchens
H: 20–25 cm

Ausführliche Beschreibung siehe Seite 24/25

61 Krippe aus dem Regelhaus der Servitinnen in Innsbruck

Figuren geschnitzt, Gelenke mit Draht verbunden, Köpfe aus Wachs bossiert, Haare aus Flachs oder Wolle, reiche textile Bekleidung in Gold- und Silberlahnstickerei mit Perlen- und Glassteinbesatz
Nordtirol, gegen 1750
H: ca. 18 cm

Ausführliche Beschreibung siehe Seite 25–27

62 Papierkrippe

Figuren von Wenzel Fieger (1860–1924)
Trebitsch, Mähren, um 1890
Gouache auf Karton
H: 3,5–14 cm

Ausführliche Beschreibung siehe Seite 28–30

63 Hauskrippe mit Anbetung der Hirten

Johann Georg Dorfmeister (1736–1786)
Aus Cilli (in der historischen Untersteiermark,
heute Celje, Slowenien)
Ton, farbig gefaßt
Bez. »Dorfmaister fecit anno MDCCLXXII«
H: 46 cm
Inv.-Nr. R 7666

Nur die unmittelbar am Weihnachtsereignis beteiligten Personen sind in dieser Bethlehemgruppe dargestellt: Maria nährt das Kind, Joseph neigt sich ihr zu,
ein Hirte nähert sich von rechts und hat seine Gabe,
ein an den Füßen gebundenes Lamm, bereits nieder-
gelegt. Die ruinenartige Nische wird rechts von einer
Vase flankiert, links von einer kannelierten Säule, vor
der ein weiterer Hirte steht. Oben sitzt auf Wolken
ein Putto mit jubelnd erhobenem rechten Arm.

64 Teile einer Papierkrippe

Christoph Anton Mayr zugeschrieben
Tirol, um 1760/70
Tempera auf Papier
H der Figuren: 15–30 cm

Aus einer vielfigurigen Jahreskrippe wurden einzelne
Szenen aus der Passionsgeschichte ausgewählt: Jesu
Einzug in Jerusalem mit dem jubelnden Volk, das
Letzte Abendmahl, das Gebet am Ölberg mit dem
Judaskuß, die Gefangennahme, die Geißelung, der
Kreuzweg mit den trauernden Frauen und schließlich
die Verzweiflung des Judas über seinen Verrat.
Christoph Anton Mayr, genannt Stockinger, geboren
vor 1720 in Schwaz/Tirol, hat um die Mitte des 18.
Jahrhunderts in zahlreichen Kirchen in Salzburg und
Tirol Wand- und Deckenfresken ausgeführt. Fünf
erhaltene Papierkrippen in Tirol können ihm sicher
zugeschrieben werden. Stilistische Vergleiche deuten
auf C. A. Mayr als Schöpfer auch dieser Papierfiguren.

Aus Kat. Nr. 64

65/66 Teile einer Papierkrippe

Tirol, signiert »Franz Borg 1758«
Wohl Franz Borgia Firler (gest. 1784)
Gouache auf Karton, teilweise auf Holz aufgezogen
H: ca. 12 cm

Diese Papierkrippe soll ursprünglich 300 Figuren umfaßt haben. Erhalten geblieben sind neben Szenen des Weihnachtskreises Themen aus der Passionsgeschichte wie etwa die Kreuzigung, aber auch einzelne Gleichnisse. Das legt den Schluß nahe, daß es sich um eine Jahreskrippe gehandelt hat.

67 Figuren aus der Regelhauskrippe

Vgl. Nr. 61
Tirol, gegen 1750
Wachsköpfe, textile Bekleidung
H: ca. 16 cm

68 Oben: Verkündigung an Maria und an die Hirten
Unten: Herbergssuche und Anbetung der Hirten

Papierkrippe, Gouache auf Karton
Bayerisch-Schwaben, Ende 18. Jahrhundert
H: bis 16 cm

Die Kulissen für die ursprüngliche Aufstellung dieser Papierkrippe sind verloren. Die Figuren können keinem namentlich bekannten Künstler zugeschrieben werden, stammen jedoch von der Hand eines geübten Malers, der möglicherweise unter den süddeutschen Freskanten der Zeit zu suchen ist.

Abb. Seite 86

69 Anbetung der hl. Drei Könige

Papierkrippe, Gouache auf Karton
Bayerisch-Schwaben, Ende 18. Jahrhundert
H: bis 16 cm
Zu Krippe Nr. 68 gehörig
Neben der Anbetung der Könige und ihres Gefolges werden hier Diener gezeigt, die lebhafte Rosse bändigen sowie Pagen beim Auspacken der Königsgeschenke.

Abb. Seite 86

70–73 Jahreskrippe

Von der Schnitzerfamilie Probst
Sterzing, ca. 1780–1805
Zirbelholz, geschnitzt und farbig gefaßt
H: ca. 4–7 cm

Ausführliche Beschreibung siehe Seite 31/32

Kat. Nr. 68

Kat. Nr. 69

**74 Oben: Einzug in Jerusalem und
      Beschneidung**

Krippenfiguren von verschiedenen Tiroler Schnitzern
Holz, farbig gefaßt

**Mitte und unten: Aus einer Anbetung der
hl. Drei Könige**

Tirol, Mitte 19. Jahrhundert
Architekturstücke von Gerbermeister Moser, Bozen
Mitte 19. Jahrhundert
H: 5–14 cm

75 Verkündigung an die Hirten

Figuren verschiedener Tiroler Schnitzer, um 1800
H: 5–14 cm
Kulissenmalerei von Edmund von Wörndle
(1827–1906)
Innsbruck, gegen 1860.
Der Wiener E. von Wörndle widmete sich nach sei-
nem Akademiestudium hauptsächlich der Land-
schaftsmalerei. Er stand in enger Verbindung mit
Joseph von Führich.
Öl auf Leinwand
H: 20, B: 135 cm

Kat. Nr. 75

Die schöne Malerei der Hintergrundskulisse stellt
trotz ihrer scheinbaren Genauigkeit in der Wiederga-
be eine Mischung aus Alpenländischem und Orienta-
lischem dar. Die Berge entsprechen der Voralpen-
landschaft, doch die Architektur rechts außen –
kubisch, weiß getüncht, mit Säulenvorhalle – wirkt
morgenländisch. Die Hirten in dieser Verkündigungsszene sind in ihrer Kleidung ebenfalls nicht auf
eine bestimmte Gegend festzulegen: Sie tragen knie-
kurze, farbige, meist gegürtete Kittel, Stiefel und
breitkrempige Hüte.

76 Szene aus der Hochzeit von Kanaa

Figuren von der Schnitzerfamilie Probst
Tirol, um 1800
H: 8–9 cm
Architekturteile von Gerbermeister Moser, Bozen
Mitte 19. Jahrhundert (siehe Kat.-Nr. 77)

Der Hochzeitstanz findet hier in einer antikisieren-
den Säulenhalle statt, wobei Architektur und Figuren
nicht ursprünglich zusammengehören.

**77 Phantasiebild der Stadt Jerusalem
mit Aufbruch der hl. Drei Könige nach
ihrem Besuch bei Herodes**

Figuren von der Schnitzerfamilie Probst sowie
von Johann Pendl und dessen Sohn Franz Xaver
Tirol, um 1800
H: 12–15 cm
Bauten von Karl Siegmund Moser
Bozen, zwischen 1825 und 1860

Ausführliche Beschreibung siehe Seite 33–36

Krippen aus München

78 Die Hirten auf dem Feld

Gliederpuppen des Schnitzers Ludwig
München, um 1800
Holz, geschnitzt mit textiler Bekleidung
Kämpfende Stiere, Hirtenhund und Ziegen von
dem Münchner Schnitzer Niklas, frühes 19. Jahr-
hundert
(Zyklus Münchner Krippen Bild 1)

Ausführliche Beschreibung siehe Seite 37–39

79 Heilige Nacht mit Anbetung der Engel

Engel, Hirten und Architektur von verschiedenen
Münchner Meistern des frühen 19. Jahrhunderts
Heilige Familie italienisch, 2. Hälfte 18. Jahrhundert
Bauten frühes 19. Jahrhundert
H: ca. 20 cm
(Zyklus Münchner Krippen Bild 2)

Typisch für die Münchner Krippen des 19. Jahrhunderts sind die als Aktfiguren sorgfältig geschnitzten
Engel. Es sind keine Putten, wie meist in den südländischen Krippen, sondern geschlechtslos schöne, jugendliche Wesen. Sie sind, im Gegensatz zu den
übrigen Figuren in Münchner Krippen, nicht als
Gliederpuppen gefertigt, sondern haben ihre anbetende, jubilierende oder hinweisende Gebärde vom
Künstler unveränderbar erhalten. Ihre gefiederten
Flügel sind in zarten Pastellfarben gefaßt, sie tragen
eine leichte Tülldraperie um die Lenden.
In der Erkenntnis, daß gerade die Figuren von Maria
und Joseph in den Münchner Krippen meist die
schwächsten sind, hat schon Max Schmederer für
diese Szene italienische Figuren des Heiligen Paares
gewählt. Das Krippenbild mit seinem eindrucksvollen
Sternenhimmel hat eine apokryphe Erzählung zum
Vorwurf. Danach erstrahlte die Höhle bei Bethlehem, in der Maria und Joseph Herberge fanden, von
dem Augenblick an, als Maria eintrat, in göttlichem
Licht.

80 Engel

Lindenholz, farbig gefaßt
München, Ende 18. Jahrhundert
H: ca. 16 cm

81 Engel

Lindenholz, farbig gefaßt
München, Ende 18. Jahrhundert
H: 20 cm

83 Engel

Lindenholz, farbig gefaßt
München, Mitte 18. Jahrhundert
H: ca. 25 cm
Jesuskind
München, frühes 19. Jahrhundert
L: 7 cm

82 Herbergssuche

Figuren von verschiedenen Münchner Meistern
Hölzerne Gliederpuppen in textiler Bekleidung
Frühes 19. Jahrhundert
H: 25 cm
Brunnenarchitektur gleichzeitig
Szenenbild von Wilhelm Döderlein, 1959
(Zyklus Münchner Krippen Bild 3)

Vor dem Betrachter öffnet sich der Marktplatz eines
orientalischen Dorfes mit einem ruinösen Brunnen.

Hier ist Maria erschöpft niedergesunken, während
Joseph an der Tür der Herberge anklopft und von
einem unfreundlichen Wirt und seinem kläffenden
Hund verjagt wird. Die diskutierenden Männer
rechts und links im Vordergrund der Szene zeigen,
wie sehr sich die Münchner Krippenschnitzer um
diese Zeit vertraut gemacht hatten mit orientalischen
Physiognomien und der Kleidung in Palästina. Rei-
sebeschreibungen mit Stahlstich-Illustrationen standen bereits zur Verfügung und auch die oft sehr
detaillierten Schilderungen dieser Zeit dürften zur
großen Genauigkeit und Zuverlässigkeit der Darstellungen geführt haben.

84 Opferung der Hirten

Figuren Holz, geschnitzt mit textiler Bekleidung
Von verschiedenen Münchner Schnitzern
Frühes 19. Jahrhundert
H: ca. 25 cm
Gruppe der drei geschnitzten und kaschierten Hirten
von W. Zink, München 1825
Heilige Familie italienisch, 2. Hälfte 18. Jahrhundert
Architekturbild von Max Schmederer
unter Verwendung älterer Teile
(Zyklus Münchner Krippen Bild 4)

Ein hohes Kreuzgewölbe überspannt in diesem Krippenbild von Max Schmederer die Vorhalle einer römischen Palastruine mit düsterem, fensterlosem Gemäuer. Ganz hinten ist ein gänzlich verfallener Nebenraum zu erkennen, in welchem Ochs und Esel stehen. Maria hält das Knäblein liebevoll im Arm, Joseph blickt freundlich auf die beiden und weist auf das Kind. Hirten bringen ihre Gaben dar: Lämmer, Früchte und andere Geschenke. In den Evangelien wird nicht berichtet, daß auch die Hirten, wie die Könige, der Heiligen Familie Gaben bringen. Dort ist lediglich von ihrer Anbetung die Rede. Die Szene der »Opferung der Hirten« stammt aus den Weihnachtsspielen. Sie sollte zeigen, daß gerade die Armen ihre einzige Habe mit Freude dem Jesuskind zum Geschenk machten.

85 Figuren aus Passionskrippen

Von verschiedenen Münchner Meistern
2. Hälfte 18. und frühes 19. Jahrhundert
H der Figuren: ca. 25 cm

In den sogenannten Fasten- oder Passionskrippen
wurden die Geschehnisse der Osterzeit dargestellt.
Sie waren wesentlich seltener als die Weihnachtskrippen in privatem Besitz, denn sie regten den Betrachter mit der Grausamkeit ihrer Szenen nicht zu jenem
Miterleben an, zu jener Identifikation mit den am
heiligen Geschehen unmittelbar Beteiligten, wie das
die einzelnen Szenen der Weihnachtskrippe taten.

86 Figurengruppen verschiedener Münchner Meister

Ziegen und Hund Holz, geschnitzt und farbig gefaßt
München, frühes 19. Jahrhundert
Rinder aus Stuckmasse, farbig gefaßt
Sebastian Habenschaden (1813–1868)
München, Mitte 19. Jahrhundert
H: ca. 25 cm

87 Figuren und Tiere

Von Anselm Sickinger, München, Mitte 19. Jahrhundert
Holz, farbig gefaßt, mit textiler Bekleidung
H: ca. 20 cm

Kat. Nr. 88

88 Anbetung der Hirten

Figuren Holz, geschnitzt, mit Drahtgelenken
Tiere geschnitzt und farbig gefaßt
Anselm Sickinger, München, um 1840
Textile Bekleidung gleichzeitig
H: ca. 23 cm
Stallgebäude frühes 19. Jahrhundert
Szenenbild einer Winterlandschaft
von Wilhelm Döderlein, 1959
(Zyklus Münchner Krippen Bild 5)

Wilhelm Döderlein, der Schöpfer der Neuaufstellung der Krippen nach der Kriegszerstörung, hat in dieser Szene mit Münchner Figuren das Weihnachtsgeschehen in unsere Umgebung und vor allem in die hierzulande üblichen Witterungsverhältnisse verlegt: Er hat eine Schneekrippe geschaffen. Der Stall, der aus dem frühesten Bestand der Sammlung Schmederer stammt, entspricht den Vorstellungen von einer bayerischen Holzarchitektur, die Landschaft ist nur schwach angedeutet.

89 Tiere

Von Anselm Sickinger, München, um 1840
Holz, farbig gefaßt
H: bis 20 cm

90 Soldaten aus einer Fastenkrippe

Holz, farbig gefaßt, mit textiler Bekleidung
München, 2. Hälfte 18. Jahrhundert
H: bis 32 cm

91 Anbetung der hl. Drei Könige

Figuren und Tiere Holz, geschnitzt und farbig gefaßt
Von verschiedenen Münchner Meistern
Frühes 19. Jahrhundert.
Mohrengruppe wohl von Ludwig
München, um 1800
Heilige Familie italienisch, 2. Hälfte 18. Jahrhundert
Architektur frühes 19. Jahrhundert
H: ca. 25 cm
(Zyklus Münchner Krippen Bild 6)

Den Mittelpunkt der Szene bildet eine Palastruine auf einem Hügel. Im traditionellen Krippenbau waren zwei unterschiedliche Aspekte der ruinösen Architektur als Schauplatz der Menschwerdung Christi bekannt: Die Tempelruine, welche die nach christlicher Auffassung irregeleitete Synagoge darstellt, oder den der Vernichtung preisgegebenen Tempel von Jerusalem, in dem durch die Geburt Christi der neue Bund der Kirche entsteht. Zum zweiten kannten Krippenbauer die Burgruine, die den verfallenen Turm Davids meinte, der in Maria neu errichtet wurde.

Kat. Nr. 91

92 Krippenpferd mit Führer und Mohrendiener

Holz, geschnitzt und farbig gefaßt
Textile Bekleidung und Ausstattung
München, frühes 19. Jahrhundert
H des Pferdes : ca. 40 cm
H der Figuren: 20–25 cm

93 Tiere von verschiedenen Münchner Meistern

Holz, farbig gefaßt
München, frühes 19. Jahrhundert

Neben dem heimischen Wild und den Haustieren kommen in den Münchner Krippen auch exotische Tiere und sogar Fabelwesen vor. Auffallend ist die hohe Qualität der Schnitzarbeiten, die sowohl in ihrer Anatomie als auch in der Behandlung ihrer unterschiedlichen Fellstruktur, ihren charakteristischen Eigenheiten und ihrem spezifischen Ausdruck hervorragend getroffen sind.

94 Flucht nach Ägypten

Figuren Holz geschnitzt, Maria und Joseph
mit Wachsköpfen und textiler Bekleidung
Süddeutschland, um 1800
H: 25 cm
Tiere und Dämonen von verschiedenen Münchner
Meistern
Holz, farbig gefaßt, frühes 19. Jahrhundert
Tempelarchitektur gleichzeitig
Szenenbild der Nil-Landschaft
von Wilhelm Döderlein, 1959
(Zyklus Münchner Krippen Bild 7)

Anders als in den meisten Darstellungen der Flucht nach Ägypten, die Maria mit dem Kind auf dem Esel reitend zeigen, schildert diese Krippenszene das Übersetzen über den Nil in einem Kahn. Das ferne Ufer, auf das die Heilige Familie zusteuert, ist bevölkert von fremdartigen Tieren. In der ruinösen Tempelarchitektur links tummeln sich fröhliche Äffchen, doch von rechts nähern sich Alligatoren und andere unheimliche Wesen. Ein aufrechtgehender Mähnenaffe scheint freundlich: Er trägt ein Früchtebouquet auf dem Arm. Hinter ihm erscheinen Löwe und Löwin – vielleicht ein Hinweis auf die Legende von dem bedrohlichen Angriff dieser Tiere auf die Heilige Familie, denen der Jesusknabe durch das Erheben seiner Rechten Einhalt gebot. Vorne rechts steht ein Fabelwesen, das in der Literatur mit der Bezeichnung Succurath auftaucht. Es ist ein Tier, das bei Gefahr seine Jungen auf den Rücken nimmt, sie mit seinem breiten Schwanz beschützt und so mit ihnen flieht. Der Succurath wurde aufgrund dieses Verhaltens im Barock zum Emblem für die Flucht nach Ägypten.

95 Die Heilige Familie im Hause zu Nazareth

Figuren Holz, geschnitzt und farbig gefaßt
Textile Bekleidung
Johann Berger, München, frühes 19. Jahrhundert
Bauten und Geräte gleichzeitig
Höhe der Figuren: 25 cm

Das Thema der Heiligen Familie bei der Arbeit wurde zu Anfang des 19. Jahrhunderts in der Hinterglasmalerei und im kleinen Andachtsbild häufig dargestellt. Das einträchtige Zusammenleben der drei Personen, aber auch der Wert der Arbeit galten als vorbildgebend für jede christliche Familie. Da auch Krippen vielfach pädagogischen Zwecken dienten, verwundert die recht häufige Darstellung gerade dieser Szene nicht.

96 Aus einer Anbetung der hl. Drei Könige

Alle Figuren Holz, geschnitzt und farbig gefaßt
Tiere links außen Tirol, 18. Jahrhundert
Könige in der Mitte von dem Schnitzer Ludwig
München, frühes 19. Jahrhundert
Mohren von Johann Berger, München, um 1850
Kamele, Pferde und Hunde von verschiedenen Münchner Meistern, frühes 19. Jahrhundert
Geschenke der Könige Silberschmiedearbeiten
München, um 1800
H: ca. 34 cm

Hervorragende Werke der Kleinplastik sind vor allem die Mohren mit ihren durchmodellierten Körpern und ihrem individuellen Gesichtsausdruck. Sie wurden mit Einzelfiguren aus anderem Zusammenhang gruppiert – für das Arrangement einer weiteren vollständigen Szene der Anbetung der Könige fand sich bei der Wiederaufstellung nach der Kriegszerstörung nicht der nötige Platz.

97 Engelsglorie

Gottvater, Holz, farbig gefaßt, München, um 1800
Engel und Putten von Giuseppe Sammartino,
Lorenzo Mosca, Matteo und Felice Bottiglieri
Neapel, Mitte 18. bis frühes 19. Jahrhundert
H: durchschnittlich 5–7 cm

Über dem Stall von Bethlehem wurde zur Weihnachtszeit meist eine Engelsglorie gezeigt. Den Stern
steckte man erst zu Epiphanias auf, wenn auch die hl.
Drei Könige die Krippenlandschaft betraten. Die En-
gelsgloriole mit ihren besonders lebensnahen Kinderputten leitet zum großen Bereich der Krippen aus
Neapel über.

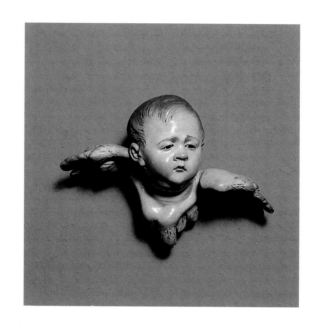

Krippen aus Neapel

Alle Figuren in neapolitanischen Krippen sind nach einem einheitlichen Prinzip hergestellt: Ihre Köpfe sind aus Terracotta modelliert, farbig gefaßt und mit Glasaugen versehen. Die Unterarme und die Unterschenkel sind aus Holz geschnitzt und farbig gefaßt. Die Teile wurden mit Draht verbunden und dieser mit Werg umwickelt. So entstanden biegsame Figuren.

Die Kleidung der neapolitanischen Krippenfiguren hat die Mode in Neapel in der Mitte des 18. Jahrhunderts zum Vorbild; sie ist aus eigens gewebten Stoffen genäht. Die Personen im Gefolge der hl. Drei Könige tragen orientalische Gewänder.

98 Verkündigung an Maria

Neapel, 2. Hälfte 18. Jahrhundert
H: 38 cm
Heilig-Geist-Taube Silber, getrieben
Strahlenkranz Kupfer, vergoldet
Italien, Ende 18. Jahrhundert
Durchmesser: 23 cm
Szenenbild von Max Schmederer

Als »Lebende Bilder im Kleinen« hat Georg Hager die Krippen bezeichnet. Gerade auf ein Szenenbild wie die Verkündigung an Maria mit Figuren aus Neapel trifft eine solche Charakterisierung zu: In einer gewölbten Halle kniet Maria demütig auf einem Samtkissen, der Engel tritt mit lebhaft wehendem Gewand und vom Flug zerzausten Flügeln ein.

99 Maria geht übers Gebirge

Neapel, 2. Hälfte 18. Jahrhundert
H: 45 cm
Tiere Holz, geschnitzt und farbig gefaßt
H: 15–25 cm

Einige Tage nach der Verkündigung durch den Engel Gabriel »machte sich Maria auf den Weg und eilte in eine Stadt im Bergland von Judäa. Sie ging in das Haus des Zacharias und begrüßte Elisabeth« (Lukas 1, 39 und 40). Auf dem Weg »übers Gebirge« begegnet das Heilige Paar in dieser Krippenszene einem nackten Bettler und einem Knaben. Solche Aktgruppen werden meist Giuseppe Sammartino, dem bedeutendsten Krippenkünstler im Neapel des 18. Jahrhunderts, zugeschrieben. Sie sind ganz aus Terracotta modelliert und stellen hervorragende Werke der Kleinplastik dar. Sammartino soll der hochbegabte Erfinder dieser Bettlerfiguren sein.

100 Straße von Neapel mit Marktszenen

Figuren und Zubehör (finimenti)
von verschiedenen neapolitanischen Meistern
2. Hälfte 18. Jahrhundert
H der Figuren: ca. 38 cm
Bauten nach neapolitanischen Vorbildern
von Max Schmederer

Solche Straßenansichten mit Marktständen, einer »spelonca« und Gruppen ins Gespräch vertiefter Bürger wurden in Neapel zusammen mit der Szene der Geburt Christi aufgestellt.

Ausführliche Beschreibung siehe Seite 40–43

101/102 Einzelfiguren neapolitanischer Meister

Zum Teil durch gekratzte, zum Teil durch mit Tinte aufgetragene Namenszüge auf dem Büstenteil der Köpfe signiert: Von Lorenzo Mosca eine Frau, ein Mädchen und zwei Männer; von Francesco Viva ein Hirte, ein Mann und ein Musikant, außerdem eine Frau und ein Orientale; von Francesco Celebrano ein Mann und ein weiterer, der ihm zugeschrieben wird; von Salvatore di Franco ein junger Mann; von Giuseppe (?) Cappiello ein Edelmann; von Gesualdo de Casa ein Edelmann und eine Edelfrau; von Villano di Camino eine Frau und von Giuseppe de Luca eine junge Frau und ein junger Mann. Die übrigen Figuren tragen keine oder nicht entzifferbare Signaturen; einige der auftretenden Monogramme sind noch ungeklärt.
H: ca. 38 cm

103 Einzelfiguren und Gruppen blinder Bettler und Bettelkinder

Zum Teil Giuseppe Sammartino zugeschrieben
Terracotta, farbig gefaßt
Neapel, Mitte 18. Jahrhundert
H: 20–45 cm

104 Einzelfiguren

Hl. Joseph (Abb.)
Kastanienholz, farbig gefaßt
Italien, 18. Jahrhundert
Maria und Joseph aus einer Anbetungsgruppe
Holz, farbig gefaßt
Italien, 1. Hälfte 17. Jahrhundert
H: 30 cm
Anbetungsgruppe mit Maria und Joseph
Terracotta, farbig gefaßt
Italien, 1. Hälfte 18. Jahrhundert
H: 23 cm
Anbetungsgruppe mit Maria, Joseph und Tieren (Abb.)
Terracotta, farbig gefaßt
Italien, frühes 19. Jahrhundert
H: 34 cm

105 Einzelfiguren

Hl. Drei Könige mit Dienern
Weißer Pfeifenton, farbig gefaßt
Katalonien, 17. Jahrhundert
H: 8,3–1,8 cm
Junge Frau mit Kind
Terracotta, farbig gefaßt
Neapel, 18. Jahrhundert
H: 38 cm
Sitzende Frau mit zwei Kindern
Terracotta, farbig gefaßt
Neapel, spätes 18. Jahrhundert
H: 20 cm
Erschrockener Hirte
Terracotta, farbig gefaßt
Neapel, spätes 18. Jahrhundert
H: 23 cm

Junges Paar
Terracotta, farbig gefaßt
Süditalien, spätes 18. Jahrhundert
H: 23 cm
Stehender Hirte
Terracotta, farbig gefaßt
Neapel, spätes 18. Jahrhundert
H: 40 cm
Ruhende Hirten aus einer Verkündigungsszene
Teracotta, farbig gefaßt
Italien, 18. Jahrhundert
H: 15,5 cm
Miniatur-Krippenfigürchen
Terracotta, farbig gefaßt
Süditalien, nach 1800
H: 3–5 cm
Hirte, Frau und zwei Knaben
Terracotta, farbig gefaßt
Süditalien, um 1800
H: 8–17 cm
Liegende Hirten
Terracotta, farbig gefaßt
Neapel, um 1800
H: bis 10 cm

106   Anbetung der Hirten

Figuren von verschiedenen neapolitanischen
Meistern
Mitte 18. Jahrhundert
Terracotta und Holz (Tiere)
H: ca. 38 cm
Bauten größtenteils von Max Schmederer
Szenerie von Wilhelm Döderlein, 1959

Dargestellt ist der Ausblick vom Dach eines Hauses
auf den Golf von Neapel mit dem Vesuv im Hintergrund.

Ausführliche Beschreibung siehe Seite 44/45
Farbabbildung auf dem Einband

107   Tiere und Tiergruppen verschiedener Meister

Ton und Holz, farbig gefaßt
Neapel, ca. 1750 bis 1850
H: durchschnittlich 20 cm

Wie bei den Krippen in München legte man auch in
Neapel größten Wert auf eine Vielzahl von hervorragend modellierten oder geschnitzten Tieren und
Tiergruppen. Die kleineren, wie etwa Schafe und
Ziegen, wurden meist aus Ton modelliert, gebrannt
und farbig gefaßt. Die Tiere im größeren Format, vor
allem Rinder und Pferde, wurden oft aus Holz geschnitzt und gefaßt.

108   Anbetung der Könige in einem Marmorpalast

Zum großen Teil aus dem Bestand der Krippe
König Karls III. von Neapel
Maria und Joseph von Giuseppe Sammartino
2. Hälfte 18. Jahrhundert
Heilige Drei Könige wohl von Lorenzo Mosca
2. Hälfte 18. Jahrhundert
Übrige Figuren von verschiedenen
neapolitanischen Meistern des 18. Jahrhunderts
Tiere Holz oder Terracotta, farbig gefaßt
Pferde aus Holz
Schätze der Könige Silberarbeiten, teils vergoldet

Ausführliche Beschreibung siehe Seite 46–49

109 Rüstkammer der hl. Drei Könige

Figuren von verschiedenen neapolitanischen
Meistern
2. Hälfte 18. Jahrhundert
H: ca. 35 cm
Waffen aus Edelmetallen mit Verzierungen aus
Koralle, Elfenbein und Jade

110 Anbetung der Engel

Figuren von verschiedenen neapolitanischen
Meistern
2. Hälfte 18. bis Mitte 19. Jahrhundert
H: ca. 35–38 cm
Aufstellung nach einer Idee von Max Schmederer

Aus Kat. Nr. 110

111 Schatzkammer der hl. Drei Könige

Figuren von verschiedenen neapolitanischen
Meistern
2. Hälfte 18. Jahrhundert
H: ca. 35 cm
Silberschmiedearbeiten gleichzeitig, Gefäße mit
Korallenverzierung aus Trapani, Sizilien
2. Hälfte 18. Jahrhundert
H: ca. 35 cm

Nach einer Idee von Max Schmederer wurden Rüst-kammer und Schatzkammer der Könige eingerichtet. Beide Dioramen stehen in engem Zusammenhang mit der Palastkrippe. Angeregt wurden diese Szenen durch die in neapolitanischen Krippen oft reichen Bestände an Metallgerät, das sich in die beiden Bereiche »Waffen« und »Schatzkammerstücke« unterteilen läßt. Mit großem Aufwand wurden für die Ausstattung des Königszuges Waffen wie Helebarden, Schwerter, Säbel und Dolche sowie Rüstungsteile exakt nach den originalgroßen Vorbildern aus edlen Materialien angefertigt. Für die Griffe fanden häufig Schmucksteine wie Koralle oder Jade Verwendung. Die Geschenke, welche die Könige offensichtlich ihren eigenen Schatzkammern entnehmen, um sie der Heiligen Familie zum Geschenk zu machen, sind kostbar und aufwendig. Silberplatten mit feiner Gravierung oder gar als Filigranarbeit ausgeführt, gehörten ebenso dazu wie die großen, silbervergoldeten Deckelgefäße mit feiner Koralleninkrustation aus dem sizilianischen Trapani.

112 Rundkrippe mit Verkündigung an die Hirten, Anbetung und volkstümlichen Szenen

Figuren von verschiedenen neapolitanischen Meistern
2. Hälfte 18. Jahrhundert
H: ca. 38 cm
Einzelne Architekturteile aus Neapel
wohl 19. Jahrhundert
Kork, beklebt mit bemaltem Papier

Der Entwurf für diese Rundkrippe, die beim Umwandern das Erleben der Verkündigung an die Hirten, ihres Aufbruchs und ihrer Anbetung erlaubt, stammt von Max Schmederer, der damit auf neapolitanische Vorbilder des 18. Jahrhunderts zurückgegriffen hat.

Ausführliche Beschreibung siehe Seite 50/51

Kat. Nr. 113

113 Straßenbild mit Kirchenportal

Figuren von verschiedenen neapolitanischen
Meistern
2. Hälfte 18. Jahrhundert
H: ca. 35–38 cm
Szenenbild unter Verwendung
einiger Bauten von Max Schmederer
beim Wiederaufbau zusammengestellt

Auf der Treppe vor einem vergoldeten Kirchenportal
spielt sich das alltägliche Stadtleben ab: Bettler flehen
um Gaben, ein Händler bietet Messinggeschirr feil,
Bürger diskutieren lebhaft miteinander. An einem
Brunnen sitzt eine junge Frau, den Tragkorb mit
ihrem kleinen Kind neben sich.

Kat. Nr. 114

114 Straßenbild mit Schmiede

Figuren von verschiedenen neapolitanischen
Meistern
2. Hälfte 18. Jahrhundert
H: ca. 35–38 cm
Hufschmiede aus Neapel, 2. Hälfte 18. Jahrhundert
Szenenbild unter Verwendung
einiger Bauten von Max Schmederer
beim Wiederaufbau zusammengestellt

Unter einem mächtigen Treppenaufgang ist eine
Schmiede eingerichtet, in der einige Angehörige des
Königsgefolges zwei Pferde beschlagen lassen. Andere Personen aus dem fremdländischen Zug bevölkern
den Platz. Die neapolitanischen Bürger schauen dem
bunten Treiben von der Treppe aus zu.

115   Anbetung der hl. Drei Könige

Figuren von verschiedenen neapolitanischen
Meistern
2. Hälfte 18. Jahrhundert
H: ca. 35 cm
Schatz der Könige Silberarbeiten, teils vergoldet
Spätes 18. bis frühes 19. Jahrhundert
Korallenbesetzte Gefäße aus Trapani, 18. Jahr-
hundert
Die Palastruine ist eine der wenigen
erhaltenen Bauten von Max Schmederer

In die Ruine wurde mit relativ kleinen Figuren, die
durch ihr Format Raumtiefe suggerieren, die Anbe-
tungszene mit zwei Königen und ihren auf farbigen
Samtteppichen ausgebreiteten kostbaren Geschen-
ken gestellt. Vorne kommen zu beiden Seiten Gruppen aus dem Gefolge der Weisen heran. Sie sind
wesentlich größer. Auf der linken Seite findet man
Frauen mit blassem Teint und hellem Haar auf Kamelen sitzend, Mohrendiener mit breiten Wangen-
knochen oder mit schmalen, feingeschnittenen Gesichtern und mit Hautfarben von zartbraun bis
blauschwarz. Zwischen ihnen bewegen sich grob-
schlächtige Roßknechte mit wilden Schnurrbärten.

116 Finimenti (Krippenzubehör)

Neapel, 2. Hälfte 18. Jahrhundert
Geschirr aus Majolika und Ton
Früchte und Gemüse aus Terracotta und Wachs
Fische, Geflügel, Fleisch, Wurst,
Brot und Käse aus Terracotta und Wachs
Körbchen aus Weide geflochten
Musikinstrumente aus Holz mit Bein- und
Perlmuttintarsien
Maße zwischen 4 und 20 cm

Für die Anfertigung aller Ausstattungsteile neapolitanischer Krippen gab es Spezialisten. Aus Terracotta wurde das Zubehör der Marktstände wie Schweinehälften, Schinken, Würste, Kalbsköpfe, Fische und Geflügel aller Art modelliert. Die runden Käselaibe sind meist aus Wachs geformt, ebenso wie die glänzenden Weintrauben.

Das Miniaturgeschirr, aus Ton gedreht und mit Glasuren in Majolikatechnik versehen, mag ebenso wie die fein gearbeiteten Farbgläser an die Ausstattung von Puppenhäusern erinnern. Tatsächlich sind diese Teile in gewisser Weise austauschbar.

Große Sorgfalt wurde auf die Herstellung der Musikinstrumente verwendet. Alle Teile sind aus den originalen Materialien angefertigt: Die Körper sind mit Schildpatt belegt, die Verzierungen aus Perlmutt geschnitten, Wirbel und Klappen aus Bein geschnitzt. Diese Instrumente sind keine bloßen Attrappen, die lediglich nach ihrer äußeren Form nachgebaut wurden. Ihre Hersteller kannten die Funktion jedes einzelnen Teiles sehr genau. Man hat deshalb angenommen, daß sie von Instrumentenbauern hergestellt wurden, die hier lediglich das Miniaturformat wählten, im übrigen aber alle Kriterien ihres Handwerkes berücksichtigten. Kein einziges Stück weist jedoch eine Signatur oder einen sonstigen Hinweis auf seinen Hersteller auf.

117 Hauskrippe mit Anbetung der Hirten

Giuseppe Sammartino zugeschrieben
Neapel, Mitte 18. Jahrhundert
Terracotta, farbig gefaßt
Ausstattung des Krippenkastens mit natürlichen
Gewächsen, Hintergrund gemalt
H des Kastens: 73, H der Figuren: bis ca. 29 cm

Dieser Krippenkasten, der als Giuseppe Sammartinos
Hauskrippe bezeichnet wird, durchbricht die nea-
politanische Tradition der mit Textilien bekleideten
Figuren.

Ausführliche Beschreibung siehe Seite 52
Farbabb. Seite 2

118 Auf der Landstraße

Figuren von verschiedenen neapolitanischen
Meistern
2. Hälfte 18. Jahrhundert
H: 38 cm
Kapellenarchitektur von Max Schmederer

Das Szenenbild zeigt eine »Krippe in der Krippe«: In
dem Bildstock am Wegesrand verbirgt sich eine miniaturhafte Darstellung der Anbetung der Hirten.
Die Vorüberreitenden machen Halt, um sie zu betrachten.

Kat. Nr. 118

Kat. Nr. 119

114

119 Anbetung der Hirten in einer Doppelgrotte

Figuren von verschiedenen neapolitanischen
Meistern
2. Hälfte 18. Jahrhundert
H: ca. 38 cm

Mit dieser Doppelgrotte sollte die Rekonstruktion
einer in Neapel im 18. Jahrhundert verbreiteten Art
der Krippenaufstellung versucht werden. Als Quelle
liegen dem Szenenbild zwei von Rudolf Berliner im
Martin von Wagner-Museum, Würzburg, aufgefun-
dene Skizzen von Anton Clemens Lünenschloß
(1685–1762) zugrunde. Er unternahm als Hofmaler
des Fürstbischofs von Würzburg in den Jahren 1710–
1717 eine Studienreise nach Süditalien und zeichnete
dort »ein neapolitanisches Krippelein«. Als Schauplatz des Weihnachtsgeschehens dienen in beiden

Zeichnungen große Höhlen. Durch die Öffnungen
schweift der Blick auf die weite Landschaft mit Gebäuden und zerklüfteten Bergformationen. Der Betrachter der Krippe befindet sich sozusagen mit der
Heiligen Familie zusammen in der Höhle und blickt
hinaus auf das zur Anbetung herankommende Volk.

Krippen aus Sizilien

120 Figuren aus sizilianischen Krippen

Gruppe von Schuhmachern, Tanzende mit Dudel-
sackspieler, Schafhirte und -hirtin, ländliche Szenen
Von der Familie Bongiovanni-Vaccaro aus Caltagi-
rone (Salvatore 1769–1842, Giacomo 1772–1859,
Giuseppe 1809–1889)
Sizilien, frühes 19. Jahrhundert
H: 20–30 cm

In Sizilien wurden oft ganze Figurengruppen auf
einer gemeinsamen Bodenplatte zu festgefügten Szenen arrangiert. Man konnte daher nur ganze Ensembles herausnehmen und durch andere ersetzen und
nicht, wie in den meisten anderen Krippen, jede Figur
für sich alleine auswechseln.

**121 Verkündigung an die Hirten und
Anbetung**

Figuren Holz, kaschiert und farbig gefaßt
Sizilien, 1. Hälfte 18. Jahrhundert
H: ca. 20 cm
Die Grottenarchitektur wurde beim Wiederaufbau
der Abteilung entworfen und im Museum
angefertigt

Der Blick des Betrachters wird in die Tiefe geführt,
bis er sich schließlich im Ausblick auf das glitzernde
Meer unter dem natürlichen Felsenbogen verliert.
Die bizarren Formationen mit den Höhlenwohnun-
gen sind dem Golf von Palermo nachempfunden.
Deutlich ist der Herstellungsprozeß der Figuren zu

Kat. Nr. 121

erkennen: Der Rumpf ist lediglich in groben Formen angedeutet, während Arme, Beine und Kopf aus Lindenholz sorgfältig ausgearbeitet sind. Dann wurden die Figuren kaschiert: Stücke feinen Leinens wurden in heißes, mit Kreide angereichertes Leimwasser getaucht, im warmen und weichen Zustand ganz rasch auf der Figur drapiert und schließlich, zusammen mit den Holzteilen, farbig gefaßt.

122 Verkündigung an die Hirten

Figuren von verschiedenen neapolitanischen Meistern
2. Hälfte 18. Jahrhundert
H: ca. 35 cm
Szenenbild neu

An dieser Stelle wurden noch einmal einige Szenen aus neapolitanischen Krippen eingefügt.
Die Verkündigung an die Hirten wird hier inmitten eines antiken Ruinenfeldes gezeigt. Alle Anwesenden blicken erschrocken und verwirrt nach oben zu dem herabschwebenden Verkündigungsengel.

123 Grablegung aus einer Fastenkrippe

Hauptgruppe Terracotta, farbig gefaßt
H: 41,5 cm
Nebenfiguren Drahtpuppen mit textiler Bekleidung
Zwei Frauen links von Lorenzo Mosca,
der Mann vorne rechts von Felice oder Matteo
Bottiglieri
Neapel, 2. Hälfte 18. Jahrhundert
H: 48 cm
Grottenarchitektur neu

Zwei Szenen aus neapolitanischen Passionskrippen sind an dieser Stelle eingeschoben: eine Kreuzabnahme und eine Grablegung mit ungewöhnlich großen Figuren. Sie gehörten zur letzten Schenkung Max Schmederers an das Museum im Jahr 1906. Die auf engstem Raum äußerst dramatisch gestaltete Szene der Grablegung gibt auch nach dem Wiederaufbau den ursprünglichen Eindruck wieder.
Der Leichnam Christi ist in seiner anatomisch exakten Durchgestaltung wie in seiner Haltung ein Beispiel hervorragender Tonplastik. Von gleicher Qualität sind die Assistenzfiguren.

124 Kreuzabnahme aus einer Fastenkrippe

Angeblich von Lorenzo Mosca (gest. 1789)
für die Familie di Giorgio angefertigt
Neapel, 2. Hälfte 18. Jahrhundert
H: 50 cm
Szenenbild neu

Über die beiden damals neu aufgebauten Szenen
berichtete am 12.7.1906 die Kölnische Volkszeitung:

»Es sind die Kreuzabnahme und die Grablegung.
Erstere ist ein für die Familie di Giorgio in Neapel
gearbeitetes Werk des Bildschnitzers Lorenzo Mosca.
Im Mittelgrunde steht das Kreuz, von dem der Leichnam des Herrn soeben durch mehrere volksmäßig
gekleidete Personen vorsichtig heruntergenommen
wird. Im Hintergrunde sieht man die beiden Schä-
cher an ihren Kreuzen... und rechts St. Johannes und
die heiligen Frauen sich um die ohnmächtig hinge-
sunkene heilige Jungfrau bemühen. Die Ausführung
der Landschaft beschränkt sich auf das allernotwen-
digste; nur das Terrain und der Himmel sind angedeutet.«
Beim Wiederaufbau der Krippenabteilung wurde dieses Szenenbild genau rekonstruiert.

125 Der Bethlehemitische Kindermord

Figuren Holz, geschnitzt, kaschiert und farbig gefaßt
Sizilien, 1. Hälfte 18. Jahrhundert
H: ca. 12 cm
Szenerie von Max Schmederer, um 1902

Nur mit Mühe erkennt man auf dem unruhigen
Gelände des Burgberges die kleinen Gruppen äußerst
bewegter Figuren. Soldaten hoch zu Roß entreißen
verzweifelten Frauen ihre kleinen Knäblein, die sie
umklammert halten. Vom Pferd herab töten sie die
Kinder, die Mütter kämpfen um ihre Söhne, auch
wenn sie schon auf dem Boden liegen. Die Figürchen
sind in der üblichen Kaschiertechnik hergestellt.

Aus Kat. Nr. 126

126 Figurengruppen von süditalienischen und sizilianischen Meistern

Oben: **Zwei Anbetungsgruppen**
von Giovanni Antonio Matera (1653–1718)
Holz, farbig gefaßt und kaschiert
Trapani, Sizilien, spätes 17. Jahrhundert
H: bis 30 cm
In der Mitte und unten:
Hirten- und Anbetungsgruppen
Holz, farbig gefaßt und kaschiert
Sizilien, 18. Jahrhundert
H: bis 22 cm
Vorne rechts:
Stehender König mit Page
und kniender Mohrenkönig mit Page
Nicolo Bagnasco zugeschrieben
Holz, farbig gefaßt
Sizilien, um 1720
H: 19 bzw. 26 cm

Der bärtige junge König trägt eine prächtige antikische Rüstung. Der kniende Mohrenkönig ist in eine farbig gestreifte Pluderhose, ein fast knielanges Hemd mit Goldbortenbesatz sowie einen goldgemusterten Schleppenumhang gekleidet. Beide sind von je zwei lebhaft gestikulierenden Pagen begleitet, deren Kleidung mit feinen Mustern bemalt ist. Die sorgfältige Modellierung der Gesichter kennzeichnet diese besonders qualitätvollen Gruppen. Die zierlichen, fast tänzerischen Bewegungen legen eine Datierung um 1720 nahe. In den Gesichtern sind Einflüsse aus der Malerei Luca Giordanos festzustellen.

Aus Kat. Nr. 126

127 Miniaturkrippe

Stuckmasse mit Lava
Sizilien, 18. Jahrhundert
H: 18 cm

Miniaturkrippen waren in Sizilien vor allem im 18. Jahrhundert sehr beliebt. Man erfreute sich an der Kunstfertigkeit, die Vorausetzung für die Anfertigung einer so detaillierten Landschaftsgestaltung war. Gebäude und eine Brücke gliedern die von Bäumen bestandene Ebene. Im Stall links vorne sind außer der Heiligen Familie einige Hirten zu erkennen.

128 Anbetung der Hirten und des Volkes

Figuren verschiedener Meister
Holz, farbig gefaßt und kaschiert
Sizilien, 18. und frühes 19. Jahrhundert
H: 18–30 cm

Da das Museum keine originale sizilianische Krippenarchitektur oder -landschaft besitzt, wurde diese Anbetungsszene ohne den üblichen Hintergrund aufgestellt. Typisch sind auch für Sizilien volkstümliche Szenen: die beiden heftig streitenden Frauen, die Spinnerin oder die Gruppen von Hirten mit Musikinstrumenten und Ziegen.

129 Flucht nach Ägypten

Figuren Holz, geschnitzt, kaschiert und farbig gefaßt
Sizilien, 18. Jahrhundert
H: ca. 10 cm
Szenerie neu

Der Vergleich mit einer Schilderung dieser Szene aus dem Jahr 1902 zeigt, daß die Rekonstruktion sich genau an die Schmederer'sche Aufstellung gehalten hat. »Wir schauen in eine wilde Felsenschlucht. Baumlos und kahl ragen die zerklüfteten Steinwände, kaum dass hie und da auf schwachen Vorsprüngen Rasenbänder haften, ausgedörrt und verbrannt von der Sonne. Ausgetrocknet ist das Bett des Wildbaches am Boden der Schlucht… Ueber dem Bachbett wölbt sich in leichtem Bogen ein Holzsteg, auf dem die heilige Familie einsam des Weges zieht. Voraus Joseph, das leichte Gepäck tragend und das Eselchen am Zügel führend, worauf die heilige Jungfrau mit dem göttlichen Kinde sitzt. Unerreichbar hoch für das Auge steigt zur Linken die Felswand auf, an die der Pfad hinleitet…«[41].

41 Georg Hager, wie Anm. 17, S. 136

130 Der Bethlehemitische Kindermord

Von Giovanni Antonio Matera (1653–1718)
Figuren Holz, geschnitzt, kaschiert und farbig gefaßt
Nackte Knäblein geschnitzt und gefaßt
Trapani, Sizilien, um 1700
H: ca. 28 cm
Bauten frühes 19. Jahrhundert
Ausführliche Beschreibung siehe Seite 53–55

Kat. Nr. 131

131 Sizilianische Bäuerin

Von Giovanni Antonio Matera
Figur Holz, geschnitzt, kaschiert und farbig gefaßt
Rückenkorb aus Weide geflochten
Sizilien, um 1700
H: 20 cm

Diese vielleicht anmutigste sizilianische Krippenfigur in der Sammlung des Museums läßt besonders deutlich die Herstellungstechnik des Kaschierens erkennen: Bluse, Mieder und Rock sind durch Leim und Kreide steif und wurden vom Künstler zu ihrer endgültigen Form drapiert. Unter dem mit der linken Hand gerafften dunklen Rock aber schaut der weiße Unterrock hervor, der nicht getränkt wurde und daher seine originale Stoffstruktur behalten hat.

132 Anbetung der hl. Drei Könige

Figuren Holz, kaschiert und farbig gefaßt
Sizilien, 18. Jahrhundert
H: ca. 26 cm
Architektur frühes 19. Jahrhundert

In der ruinösen Stallarchitektur ist ein Hirte vor dem Jesusknaben in großer Verehrung zu Boden gesunken. Von links kommt der Mohrenkönig mit seinem bunten Gefolge heran, vorne versuchen jugendliche Pagen, die feurigen Rosse im Zaum zu halten. Hirten mit Dudelsack und Ziegenherden haben sich unter sie gemischt.
Viele der sizilianischen Figuren im Besitz des Bayerischen Nationalmuseums wurden um die Jahrhundertwende mit einem Firniß überzogen, der im Laufe der Zeit stark nachgedunkelt ist. Aufgrund der in Sizilien üblichen Technik des Kaschierens der Figuren, ist es heute nicht mehr möglich, den Firniß zu entfernen. Er ist fest mit den Textilien verbacken und tief in die Faltenwürfe der Kleidung eingedrungen.

**133 Krippenpferd und Mohrenkönig
      mit Page**

Pferd Holz, geschnitzt und farbig gefaßt
Figuren Holz, geschnitzt, kaschiert und farbig gefaßt
Sizilien, 18. Jahrhundert
H: ca. 18 cm

134 Anbetung der hl. Drei Könige

Von Giovanni Antonio Matera
Figuren Holz, geschnitzt, kaschiert und farbig gefaßt
Trapani, Sizilien, um 1700
H: ca. 35 cm

Auffallend groß sind diese, dem berühmten Giovanni
Antonio Matera zugeschriebenen Figuren einer Anbetungsszene, die vielleicht für einen Kirchenraum
angefertigt wurden. Ungewöhnlich ist die Bewegung
des Königs, der lebhaft auf den Jesusknaben zugeht.

135 Miniatur-Rundkrippe

Figuren Holz, geschnitzt und farbig gefaßt
Architektur aus Kork gefertigt
Sizilien, frühes 18. Jahrhundert
H: 22 cm

136 Figurengruppe einer Sauhatz und einige Ziegen

Holz, geschnitzt und farbig gefaßt
Von verschiedenen sizilianischen Meistern
18. Jahrhundert
H: durchschnittlich 15 cm

Auch in sizilianischen Krippen findet man alltägliche Szenen aus dem ländlichen Leben, die mit dem Weihnachtsgeschehen zusammen aufgestellt wurden.

137 Anbetung der Hirten

Figuren aus Neapel
2. Hälfte 18. Jahrhundert
H: 50 cm
Szenenbild von Wilhelm Döderlein, 1959

Diese Krippe zeigt den in den Alpenländern verbreiteten Typus der Anbetung der Hirten in einem Stall, jedoch mit neapolitanischen Figuren. Wilhelm Döderlein wollte mit dieser letzten Krippenszene im Rundgang eine Zusammenschau bringen über die beiden Schwerpunkte der Sammlung: den Alpenraum und Italien.

Literatur in Auswahl

Die wichtigste und umfassendste Publikation zum Thema ist bis heute das längst vergriffene Werk »Die Weihnachtskrippe« von Rudolf Berliner. Alle spätere Literatur baut auf den Forschungen Berliners auf.

Costantino Barile, La scultura nel presepe genovese. Savona 1952

Max Bauböck und Josef Mader, Das Schwanthaler-Krippenwerk von Pram. Ried im Innkreis 1967

Rudolf Berliner, Denkmäler der Krippenkunst (168 Tafeln, mehr nicht erschienen). Augsburg 1926–1930

Ders., Die Weihnachtskrippe. München 1955

Régis Bertrand, Crèches et Santons de Provence. Avignon 1992

Antonio Bettanini und Diego Moreno, Il presepe genovese. Genua 1970

Gerhard Bogner, Das große Krippenlexikon. München 1981

Ders. und Paul Sessner, Augustin Alois Probst. Der Tiroler Krippenschnitzer und sein Werk in Völs am Schlern. Dachau 1985

Dies., Die Giner. Eine Tiroler Krippenkünstlerfamilie aus Thaur. Dachau 1988

Gudula Bonell, Bamberger Krippen. Bamberg 1973

Gennaro Borelli, Sanmartino – Scultore per il presepe napoletano. Neapel 1966

Ders., Il presepe napoletano. Rom–Neapel 1970

Ders., Il presepe napoletano. Neapel 1990

Josef Brülisauer, Weihnachtskrippen im Kanton Luzern. In: Jahrbuch der Historischen Gesellschaft Luzern 6/1988, S. 1–15

Elio Catello, Francesco Celebrano e l'arte nel presepe napoletano del '700. Neapel 1969

Ders., Sanmartino. Neapel 1988

Christoph Daxelmüller, Krippen in Franken. Würzburg 1978

Wilhelm Döderlein, Alte Krippen. München 1960

Erich Egg und Herlinde Menardi, Das Tiroler Krippenbuch. Innsbruck–Wien 1985

Gérard Gamet, La crèche provencale. Le monde enchanté des santons. Marseille 1980

Max Gleißner, Das Tirschenreuther Krippenbuch. Tirschenreuth 1987

Nikolaus Grass (Hg.), Weihnachtskrippen aus Österreich. Innsbruck 1966

Franz Grieshofer (Hg.), Krippen. Geschichte, Museen, Krippenfreunde. Innsbruck/Frankfurt 1987

Georg Hager, Die Weihnachtskrippe. Ein Beitrag zur Volkskunde und Kunstgeschichte aus dem Bayerischen Nationalmuseum. München 1902

Ders., Die Weihnachtskrippe. In: Volkskunst und Volkskunde II. Jg. Nr.12/1904, S. 106–114 und III. Jg. Nr.1/1905, S. 1–9 Michael Hartig, Krippenkunst in unserer Zeit. In: Die christliche Kunst 24/1927, S. 33–56

Helena Johnova, Volkstümliche Weihnachtskrippen. Prag 1967

Alfred Karasek-Langer, Krippentheater und bewegliche Krippen im Sudetenraum. Schaubühne des Volkes im 19. Jahrhundert. In: Jahrbuch für ostdeutsche Volkskunde III/1964, S. 171–253

Alfred Karasek und Josef Lanz, Krippenkunst in Böhmen und Mähren vom Frühbarock bis zur Gegenwart. Marburg 1974

Franz Kollreider, Krippen und Heiliggräber in Osttirol. Lienz 1958

Niko Kuret, Jaslice na Slovenskem. Ljubljana 1981

Leopold Kretzenbacher, Weihnachtskrippen in Steiermark (= Veröff. des Österreichischen Museums für Volkskunde 3). Wien 1953

Lenz Kriss-Rettenbeck, Anmerkungen zur neueren Krippenliteratur. In: Bayerisches Jahrbuch für Volkskunde 1966/67, S. 7–36

Ders., Materielle und spirituelle Perspektiven in volkstümlichen Krippen des 19. und 20. Jahrhunderts. In: Bayerisches Jahrbuch für Volkskunde 1969/70, S. 192–203

Ilse Koschier, Weihnachtskrippen in Kärnten (= Kärtner Museumschriften 63). Klagenfurt 1978

Josef Lanz, Krippenkunst in Schlesien. Marburg 1981

Erich Lidel, Die Schwäbische Krippe. Weißenhorn 1987

Alois Mitterwieser, Frühe Weihnachtskrippen in Altbayern. München, 2.Aufl. 1927

Ursula Pfistermeister, Barockkrippen in Bayern. Stuttgart 1984

Paul Ernst Rattelmüller (Hg.), Das große Leben Christi gezeigt an der Krippe des Fürstbischofs von Lodron zu Brixen. München 1975

Peter Riolini, Krippenstadt. Augsburger Krippen im Wandel der Zeit. Augsburg 1984

Ders., Josef Wiegel. Ein schwäbischer Krippenschnitzer (= Schriftenreihe der Museen des Bezirks Schwaben 2). Gessertshausen 1988

Ders., Bachene. Schwäbische Tonmodelfiguren (= Schriftenreihe der Museen des Bezirks Schwaben 8). Gessertshausen 1992

Hans-Günter Röhrig, Fränkisches Krippenbuch. Bamberg 1981

Brigitte Schad, Krippen in Aschaffenburg (= Aschaffenburger Studien II. Dokumentationen, Bd. 3). Aschaffenburg 1988

Leopold Schmidt, Die Weihnachtskrippe von Rinn in Tirol und ihre Bergmusik (= Leobner Grüne Hefte 76), Wien 1964

Karl Schubert, Das Alt-Egerer Krippentheater. München 1986

Max-Leo Schwering und Markus Walz, Krippenkunst in Köln. Köln 1980

Angelo Stefanucci, Storia del presepio. Rom 1944

Christa Svoboda, Die Krippensammlung des Salzburger Museums. In: Salzburger Museum Carolino Augusteum, Jahresschriften 31/1985, S. 8–197

Mathilde Tobler, Geistlicher Krippenbau. Weihnachtliche Frömmigkeit in Innerschweizer Frauenklöstern. In: Jahrbuch der Historischen Gesellschaft Luzern 6/1988, S. 16–35

Antonio Uccello, Il presepe popolare in Sicilia. Palermo 1979

Franz Sales Utz, Krippen-Erinnerungen eines alten Münchners. München 1948

Markus Walz, Weihnachtskrippen im Kölner Raum. Verbreitungsgeschichte, Funktionszuweisungen, Gestaltung (= Rheinisches Archiv 120). Köln–Wien 1988

Albert Walzer, Schwäbische Weihnachtskrippen aus der Barockzeit. Konstanz 1960

Gertrud Weinhold, Freude der Völker. Weihnachtskrippen und Zeichen der Christgeburt aus aller Welt. München 1978

Werner A. Widmann und Wilkin Spitta, Die wahrhaft göttliche Komedi. Hauskrippen im Stiftland. Regensburg 1976

Robert Wildhaber und Leopold Kretzenbacher, Volkstümliche Weihnachtskrippen. Mit einem Beitrag über Krippenspiel und Hirtensang. Bern 1959

Luciano Zeppegno, Krippen. Entstehung in Italien und Höhepunkt in Neapel. München 1970

Die Deutsche Bibliothek – CIP-Einheitsaufnahme
Krippen im Bayerischen Nationalmuseum/Nina Gockerell.
[Fotos: Marianne Stöckmann und Walter Haberland]. –
München: Bayer. Nationalmuseum, 1993
ISBN 3-925058-28-1
NE: Gockerell, Nina; Stöckmann, Marianne

Impressum

© 1993 Bayerisches Nationalmuseum München
Fotos: Marianne Stöckmann und Walter Haberland
Gestaltung: Florian Raff
Gesamtherstellung: I. P. Verlagsgesellschaft
International Publishing GmbH, München
Satz: Satz & Repro Grieb, München

ISBN 3-925058-28-1

Vordertheil.